PHÉNOMÈNES PLUS

MÉCANIQUE

PHÉNOMÈNES PLUS

MÉCANIQUE

Claudette Gagné
Régent Bouchard

Hommages de
LIDEC INC.

Fiches
d'accompagnement

Physique 534

Phénomènes PLUS
M É C A N I Q U E

auteurs
Claudette Gagné
Régent Bouchard

révision linguistique
Louise Lavigne

conception graphique et illustrations
LIDEC inc.

© LIDEC inc., 1994

Dépôt légal
Bibliothèque nationale du Québec, 1994
Bibliothèque nationale du Canada, 1994

ISBN 2-7608-3581-2
Imprimé au Canada

4350, avenue
de l'Hôtel-de-Ville
MONTRÉAL (Québec)
H2W 2H5
Téléphone:
(514) **843-5991**
Télécopieur:
(514) 843-5252

À vous qui êtes inscrit(e) au cours de Physique 534.

Ces fiches d'accompagnement vous aideront à parfaire l'acquisition des connaissances et la maîtrise des habiletés proposées par le programme.

Phénomènes plus MÉCANIQUE est le second de deux cahiers d'accompagnement élaborés pour les élèves du cours de Physique 534. Le premier cahier traite de l'optique.

Chaque cahier est divisé en unités et chacune d'elles en sections.

CHAQUE SECTION EST SUBDIVISÉE COMME SUIT:

À LA FIN DE CHAQUE UNITÉ, ON TROUVE:

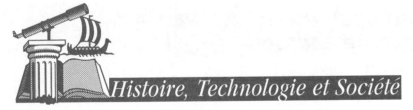

Chaque unité débute par une page titre qui présente une correspondance entre chaque section et l'objectif intermédiaire du programme d'études du MEQ.

Lorsque vous aurez complété toutes les sections et réussi vos autoévaluations, vous aurez en principe atteint les objectifs prescrits du programme.

Nous vous souhaitons un agréable semestre et la satisfaction qui accompagne la réussite dans la quête incessante de la connaissance.

Les auteurs

TABLE DES MATIÈRES

Unité 5

Travail, puissance et machines simples　107

Unité 6

L'énergie mécanique　135

Annexes

166

LE MOUVEMENT

OBJECTIF:

Explorer et décrire des mouvements d'objets et d'organismes.

Dans cette unité:

SECTIONS

Le mouvement, caractéristiques
et trajectoires

Détections du mouvement

La trajectoire, c'est relatif!

Le vecteur déplacement

Histoire, Technologie et Société
Autoévaluation

OBJECTIFS INTERMÉDIAIRES

1.1 Distinguer divers types de mouvements d'objets ou d'organismes observés dans l'environnement ou en laboratoire.

1.2 Illustrer, à l'aide de schémas, des trajectoires d'objets en mouvement observées dans l'environnement immédiat et en laboratoire.

1.3 Décrire, à la suite d'une expérience au laboratoire, un mouvement non directement observable visuellement.

1.4 Décrire, à la suite d'une expérience réalisée dans l'environnement ou au laboratoire, un mouvement non directement observable avec les sens.

1.5 Représenter, à la suite d'une expérience réalisée en laboratoire ou dans l'environnement, la trajectoire d'un objet en mouvement observée de différents endroits.

1.6 Illustrer des déplacements d'objets à l'aide de vecteurs.

LE MOUVEMENT, CARACTÉRISTIQUES ET TRAJECTOIRES

Nous savons que...

La trajectoire d'un objet en mouvement est constituée de l'ensemble des points occupés par le centre de gravité de cet objet.

Cette trajectoire est soit **rectiligne**, soit **curviligne**, soit **circulaire**. Sinon on dit simplement qu'elle est **quelconque**.

1. La trajectoire d'un pinceau lumineux est _____.

2. La trajectoire de l'extrémité d'une aiguille d'une montre est _____.

3. La trajectoire d'une mouche en vol est _____.

4. La trajectoire d'une balle de baseball frappée vers le champ centre est _____.

La mesure de la longueur de la trajectoire est le **trajet** (Certains appellent cette mesure la «distance parcourue» ou le «chemin parcouru»).

Le segment de droite qui relie deux positions est la **distance** entre ces deux positions.

5. La distance et le trajet sont équivalents dans le cas d'un mobile dont la trajectoire est _____ _____.

6. Une bille qui roule sur une table horizontale offrant un frottement négligeable est animée d'un mouvement _____ et uniforme (sans accélération).

7. Un objet qu'on laisse tomber et sur lequel la résistance de l'air est négligeable est animé d'un mouvement _____ et _____.

8. Une feuille qui tombe d'un arbre est animée d'un mouvement dont la trajectoire est _____ et dont la vitesse est _____.

9. Lorsqu'une flèche est décochée obliquement par un arc, sa trajectoire est _____ pendant le lancement, puis elle devient _____ lorsque la flèche est en vol.

10. La vitesse d'une flèche décochée obliquement _____ pendant le lancement, diminue pendant la montée puis _____ pendant la descente.

Nom: _____ Date: _____ Groupe: _____

Observons

Le tableau suivant présente des objets ou des personnes en mouvement dans le cadre d'une activité sportive.

Cochez, dans chaque cas, le type de trajectoire et précisez si la vitesse est constante ou variable.

SPORT ET MOUVEMENT

Discipline sportive	Objet en mouvement	Trajectoire				Vitesse	
		rectiligne	curviligne	circulaire	quelconque	constante	variable
Hockey	Rondelle sur la glace (frottement négligeable)						
Baseball	Balle frappée obliquement						
Soccer	Ballon transporté lors d'une montée						
Ski	Remontée d'un skieur dans la chaise d'un remonte-pente						
Ski	Skieuse dans une épreuve de slalom						
Quilles	Boule roulant dans l'allée (frottement négligeable)						
Football	Ballon en direction des buts lors d'un botté de précision						

3

Nom: _____ Date: _____ Groupe: _____

DÉTECTIONS DU MOUVEMENT

Nous savons que...

1. À part la vue, nous pouvons détecter le mouvement à l'aide de trois autres sens:

_____ ,

_____ ,

_____ .

2. Une bourrasque peut être perçue avec trois sens:

_____ ,

_____ ,

_____ .

3. On peut s'apercevoir de la présence d'un poisson au bout d'une ligne en se fiant à sa

_____ et/ou à son _____ .

4. On peut détecter le dégagement d'un gaz lors d'une réaction chimique en se fiant à son

_____ et/ou à sa _____ .

Une onde sonore est une suite de compressions et de dépressions qui se propagent dans un milieu physique.

5. La longueur mesurée entre deux compressions successives se nomme _____

et est symbolisée par la lettre grecque _____ .

6. Le nombre de compressions par seconde est la _____ de l'onde et on la

symbolise par la lettre _____ .

Nom: _____   Date: _____   Groupe: _____

7. L'équation reliant ces deux derniers paramètres à la vitesse de l'onde est

8. La tonalité d'une onde sonore (son aigu ou grave) est associée à sa _____.

9. L'intensité d'un son est associée à _____ de l'onde.

10. L'effet Doppler est une variation de la _____ causée par _____

_____.

11. Lorsqu'une source sonore s'approche d'un observateur, la fréquence perçue est _____

_____ que la fréquence émise.

12. La fréquence perçue est plus basse que la fréquence émise dans le cas où la source _____

_____ de l'observateur.

13. Le décalage vers le rouge observé en astronomie est une indication que les galaxies _____

_____.

14. Certains mouvements se répètent trop rapidement pour être observés directement. On peut les observer «à l'arrêt» à l'aide d'un _____.

15. Une technique photographique consiste à prendre plusieurs clichés d'un même objet pendant une période de temps prolongée. On souhaite ainsi analyser un mouvement trop _____ pour être observé directement.

Nom: _____ Date: _____ Groupe: _____

Observons

Les quatre dessins suivants illustrent des déplacements relatifs de sources sonores et d'observateurs. Indiquez, dans chaque cas, si la fréquence perçue est *supérieure* ou *inférieure* à la fréquence émise.

Résolvons

On peut démontrer que la fréquence d'un son perçu par un observateur immobile, après avoir été émis par une source en mouvement, est obtenue en appliquant l'équation suivante:

$$f' = \frac{f}{1 - \left(\dfrac{v_m}{v_s}\right)}$$

où f' est la fréquence perçue (Hz)

f est la fréquence émise (Hz)

v_m est la vitesse de la source (m/s)

v_s est la vitesse du son (m/s)

Note. Si la source se rapproche de l'observateur, v_m est positif.

Si la source s'éloigne de l'observateur, v_m est négatif.

Note. La vitesse du son dans l'air sec à 0 °C et à pression normale est de 331 m/s. Elle augmente approximativement de 0,61 m/s par degré.

1. Lors d'un orage, vous entendez le tonnerre 3,0 s après avoir aperçu l'éclair. À quelle distance de vous la foudre s'est-elle manifestée? (L'air est à 26 °C.)

Solution

Réponse: _____

Nom: _____ Date: _____ Groupe: _____

2. Vous assistez à un feu d'artifice à une distance de 500 m des pièces pyrotechniques. Si l'air ambiant est à 15 °C, combien de temps les détonations mettent-elles à vous parvenir?

Solution

Réponse: _____

3. La sirène d'une voiture de police émet un son de 1 200 Hz. Quelle fréquence percevrez-vous, étant immobile, si l'auto

a) s'approche de vous à une vitesse de 30 m/s?
b) s'éloigne de vous à une vitesse de 30 m/s?
(La température extérieure est de 22 °C)

a) Solution

Réponse: _____

b) Solution

Réponse: _____

Nom: _____ **Date:** _____ **Groupe:** _____

4. Vous roulez sur une autoroute à une vitesse constante de 80 km/h (22 m/s).
Un camion, dont le moteur émet un son de 600 Hz, vous dépasse et s'éloigne de vous à une vitesse constante de 100 km/h (28 m/s). (Le mercure indique 20 °C.)

a) Quelle fréquence le chauffeur du camion perçoit-il?

Solution

Réponse: _____

b) Quelle fréquence percevez-vous?

Solution

Réponse: _____

Nom: _____ Date: _____ Groupe: _____

5. À quelle vitesse un avion doit-il se rapprocher d'un observateur fixe pour que la fréquence perçue soit le double de la fréquence émise? (L'air est à 20 °C.)

Solution

Réponse: _____

Nom: _____ **Date:** _____ **Groupe:** _____

LA TRAJECTOIRE, C'EST RELATIF!

Observons

1. On installe quatre caméras pour enregistrer, de quatre angles différents, le mouvement d'une balle en chute libre.

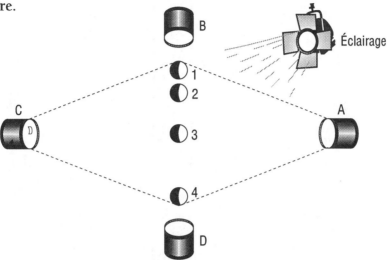

Dessinez sur les pellicules correspondantes les images captées par chacune des caméras.

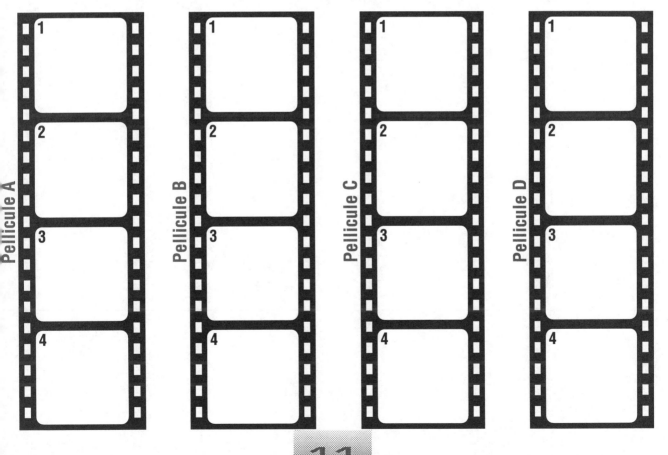

Nom: _____ Date: _____ Groupe: _____

2. Vous marchez à vitesse constante sur un plan horizontal. Arrivé(e) à un repère prédéterminé, vous laissez tomber une balle. Dessinez la trajectoire de la balle

a) telle qu'observée par une personne immobile et située vis-à-vis du repère,

b) telle qu'observée par une personne marchant à vos côtés.

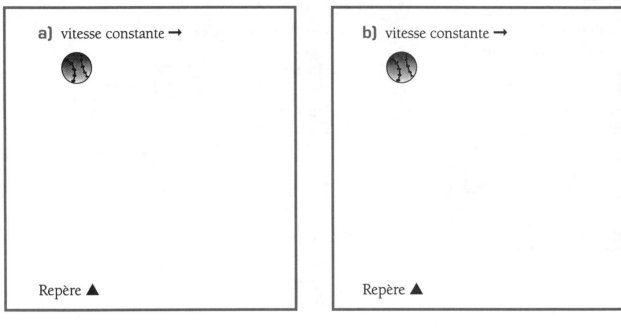

a) vitesse constante ➡	**b)** vitesse constante ➡
Repère ▲	Repère ▲
Système de référence fixe	Système de référence mobile ➡

Nom: _____ **Date:** _____ **Groupe:** _____

3. Vous observez, de quatre positions différentes, un voyant lumineux fixé à la roue d'un vélo se déplaçant horizontalement et à vitesse constante.

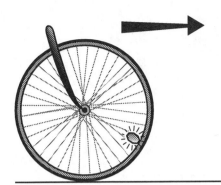

Tracez la trajectoire du voyant lumineux telle qu'observée lorsque vous êtes:

a) sur le vélo.

b) sur un second vélo roulant parallèlement au premier et à la même vitesse.

c) immobile et devant le vélo.

d) immobile et à côté du vélo.

a)

b)

c)

d)

Nom: _____ Date: _____ Groupe: _____

LE VECTEUR DÉPLACEMENT

Nous savons que...

1. Une quantité physique non-orientée est appelée quantité _____.

2. Une quantité physique orientée est appelée quantité _____.

3. Le segment de droite qui relie deux points est la _____ entre ces deux points.

4. Le segment de droite orienté (la flèche), tracé à l'échelle, qui part d'une position et se dirige vers une autre position est le _____ entre ces deux positions.

5. Un vecteur possède nécessairement deux caractéristiques, une _____ et une _____.

6. La manière la plus précise de déterminer l'_____ d'un vecteur est de déterminer l'angle qu'il fait avec l'horizontale.

7. On symbolise un déplacement comme suit: _____.

8. Un déplacement vers le nord et un autre vers le sud sont dans la même _____ mais sont en _____ contraires.

9. La somme vectorielle de deux ou de plusieurs déplacements successifs est le déplacement _____.

10. La somme vectorielle de deux déplacements a la même grandeur que leur somme scalaire si les deux déplacements sont effectués dans la même _____ et dans le même _____ .

Nom: _____ Date: _____ Groupe: _____

Observons

Un voilier partant de Cap d'Espoir à 9 h 00 fait route vers le phare de Birch Pt à une vitesse constante de 5,0 nœuds pendant 2,7 h. Il vire à tribord (à droite) de 90°, maintient ce nouveau cap à une vitesse constante de 4,0 nœuds, puis jette l'ancre à 15 h 00.

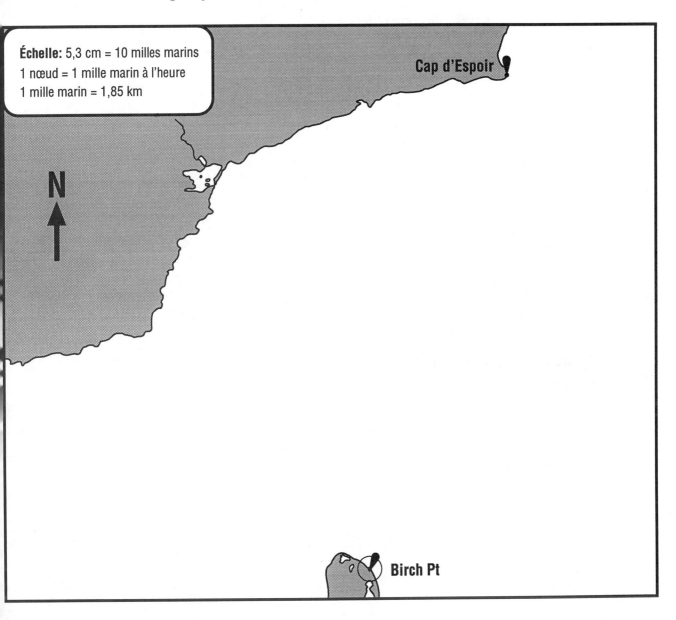

Échelle: 5,3 cm = 10 milles marins
1 nœud = 1 mille marin à l'heure
1 mille marin = 1,85 km

Cap d'Espoir

N

Birch Pt

a) Tracez la route du voilier.

b) Quelle est sa position finale? _____

c) Quel a été son déplacement (en km)? _____

Nom: _____ Date: _____ Groupe: _____

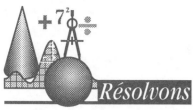

Résolvons

1. Vous partez du fond de la classe, vous faites dix pas vers l'avant, quatre pas vers la droite, puis trois pas vers l'arrière.

Chacun de vos pas mesure 80 cm.

a) Quelle a été la longueur de votre trajectoire?
Solution

Réponse: _____

b) Quel a été votre déplacement?
Solution

Réponse: _____

Nom: _____ **Date:** _____ **Groupe:** _____

La question suivante est commune aux exercices 2 à 5 inclusivement. Quel est le déplacement résultant des déplacements successifs suivants?

2. 4,0 m à 0° puis 4,0 m à 180°

Solution

Réponse: _____

3. 30 m à 0° puis 30 m à −120°

Solution

Réponse: _____

4. 5,7 km à 45° puis 4,0 km à 0° et finalement 4,0 km à −90°

Solution

Réponse: _____

Nom: _____   **Date:** _____   **Groupe:** _____

5. 400 m à 150° puis 400 m à 30° et finalement 400 m à 270°

Solution

Réponse: _____

6. Un voilier maintient le cap à l'est à une vitesse mesurée de 4 nœuds pendant 3,0 heures. (1 nœud équivaut à 1,85 km/h.) Un courant constant de 2,5 nœuds le fait dériver vers le sud. Quelle distance le voilier a-t-il parcourue par rapport au fond?

Solution

Réponse: _____

Nom: _____ Date: _____ Groupe: _____

7. Un avion partant de Baie-Comeau fait escale à Sept-Îles puis se pose finalement à Havre-Saint-Pierre. Évaluez

a) la longueur du trajet parcouru,

b) le déplacement de l'avion.

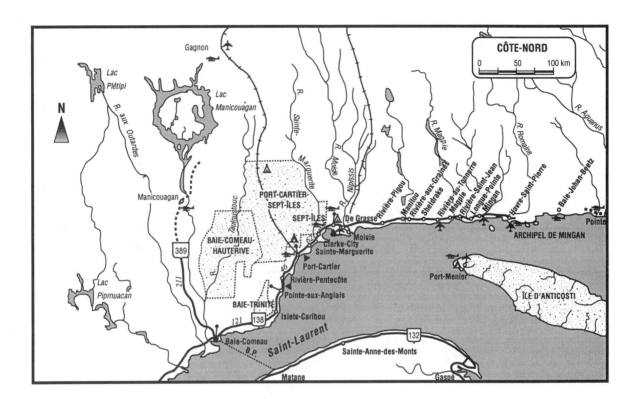

Réponses

a) Trajet: _____

b) Déplacement: _____

Nom: _____ **Date:** _____ **Groupe:** _____

8. Vous partez du point A et vous mettez le cap sur le point B. Vous faites route à une vitesse de 5,0 km/h pendant 3,0 h. Vous faites alors le point et réalisez que vous êtes au point C. Calculez la grandeur et l'orientation du courant qui vous a fait dériver.

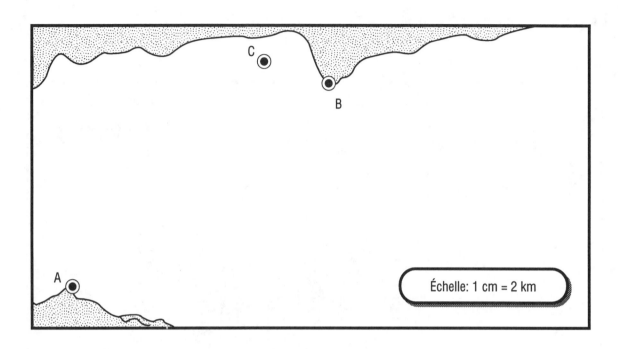

Échelle: 1 cm = 2 km

Solution

Réponse: _____

Nom: _____ Date: _____ Groupe: _____

Histoire, Technologie et Société

1. La variation de la tonalité d'un son perçue par un observateur en mouvement relatif par rapport à l'émetteur a été décrite par _____ et expliquée par _____.

2. Nommez une application technologique de l'effet Doppler.

_____

3. Quelle est l'utilité d'un stroboscope?

_____

_____

_____ .

4. Quel astronome danois compila au XVIe siècle une somme impressionnante d'observations dont il notait systématiquement la marge d'erreur? _____.

5. Dans quelle ville et en quelle année mourut cet astronome?

_____ .

6. Qui succéda à cet astronome? _____.

Nom: _____ Date: _____ Groupe: _____

Autoévaluation

1. Lesquels, parmi les facteurs suivants, influencent la vitesse de chute d'un flocon de neige?

    1. La forme du flocon

    2. L'humidité de l'air

    3. La densité de l'air

    4. La température de l'air

    5. Le moment de la journée

    A) 1, 2, 3 et 4 seulement   **B)** 3 et 5 seulement

    C) 1 et 2 seulement   **D)** Tous ces facteurs l'influencent.

2. Dans laquelle des disciplines sportives suivantes, le trajet et la distance parcourue sont-ils identiques?

    A) Le 100 m   **B)** Le saut en hauteur

    C) Le lancer du disque   **D)** Le saut à skis

3. Quel sens, autre que la vue, permet de percevoir le mouvement du balancier d'une horloge?

    A) Le toucher   **B)** L'ouïe

    C) L'odorat   **D)** Le goût

4. Qu'entend-on par l'effet Doppler?

    A) L'observation de l'expansion de l'univers.

    B) La variation de la fréquence perçue d'une onde par un observateur en mouvement relatif.

    C) Le sens du déplacement d'une onde sonore.

    D) Le mur du son franchi par un avion.

5. Quel scientifique français a fourni l'explication de la découverte de Doppler?

    A) Ampère   **B)** Carnot

    C) Fizeau   **D)** Foucault

22

Nom: _____   Date: _____   Groupe: _____

Les questions 6 et 7 se rapportent aux données suivantes. Une voiture de police roule à 50 m/s et la fréquence de la sirène est de 1 200 Hz. La vitesse du son est de 350 m/s.

6. Quelle fréquence percevrez-vous si vous êtes immobile sur le trottoir **au moment du passage** de la voiture de police?

A) 1 050 Hz   B) 1 200 Hz   C) 1 400 Hz   D) 1 600 Hz

7. Quelle fréquence percevrez-vous en entendant la sirène de la voiture de police arrivant derrière vous si vous êtes dans une voiture roulant à 25 m/s?

A) 1 050 Hz   B) 1 120 Hz   C) 1 292 Hz   D) 1 400 Hz

8. Un enfant lance un ballon vers le haut. Quelle sera la trajectoire du ballon vue par un cycliste qui passe à côté de l'enfant, à vitesse constante, à ce moment-là?

A)   B)   C)   D)

9. Comment appelle-t-on la ligne décrite par un point matériel en mouvement?

A) La trajectoire   B) Le trajet

C) La distance   D) Le déplacement

10. Laquelle des quantités suivantes est de nature vectorielle?

A) La trajectoire   B) Le trajet

C) La distance   D) Le déplacement

11. Qu'est-ce qui différencie une quantité physique scalaire d'une quantité physique vectorielle?

A) Le système de référence   B) L'orientation

C) Le système de mesure   D) L'échelle utilisée

12. La somme vectorielle de deux déplacements de 4 mètres peut être

    1. égale à 4 mètres.

    2. supérieure à 4 mètres.

    3. inférieure à 4 mètres.

Lesquelles des affirmations précédentes sont vraies?

    A) 1 et 2 seulement   **B)** 2 et 3 seulement

    C) 1 et 3 seulement   **D)** 1, 2 et 3

La question suivante est commune aux numéros 13 à 16 inclusivement.

Quel est le déplacement résultant des déplacements successifs suivants?

13. 5,0 m à 0° + 5,0 m à 90°

    A) 7,1 m à 0°   **B)** 7,1 m à 45°   **C)** 10 m à 45°   **D)** 10 m à 180°

14. 4,0 m à 90 ° + 3,0 m à 180°

    A) 5,0 m à 53°   **B)** 5,0 m à 127°   **C)** 7,0 m à 270°   **D)** 25 m à 270°

15. 50 m à 45° + 20 m à 270° + 20 m à 225°

    A) 20 m à 0°   **B)** 20 m à 180°   **C)** 28 m à 45°   **D)** 104 m à 45°

16. 30 m à 120° + 30 m à 240° + 30 m à 0°

    A) 0 m   **B)** 30 m à 0°   **C)** 60 m à 180°   **D)** 90 m à 90°

17. Soustrayez les deux vecteurs suivants:
28 unités à 45° − 28 unités à 315°

    A) 0 unité   **B)** 20 unités à 0°   **C)** 40 unités à 90°   **D)** 56 unités à 270°

Nom: _____   **Date:** _____   **Groupe:** _____

18. Un avion maintient une vitesse constante de 200 km/h et un cap franc nord pendant 2,0 heures. Un vent constant de 50 km/h souffle en provenance de l'ouest.

Quel a été le déplacement de l'avion par rapport au sol?

A) 300 km à 45° au nord-est

B) 400 km à 76° au nord-est

C) 412 km à 14° au nord-est

D) 500 km à l'est

19. Quel agencement des deux déplacements suivants donnera le plus grand déplacement résultant?

A) 4,0 m à 0° + 3,0 m à 180°   B) 4,0 m à 180° + 3,0 m à 200°

C) 3,0 m à 60° + 4,0 m à 270°   D) 3,0 m à 120° + 4,0 à 0°

20. Quand le déplacement résultant de plusieurs déplacements est-il nul?

A) Quand la trajectoire est nulle

B) Quand la trajectoire est égale à la distance parcourue.

C) Quand la position initiale coïncide avec la position finale.

D) Quand le mouvement est rectiligne.

LES FORCES

OBJECTIF:

Analyser des effets de forces exercées sur soi ou sur des objets de son environnement.

Dans cette unité:

SECTIONS

Les forces et l'équilibre

Une déformation élastique

Histoire, Technologie et Société
Autoévaluation

OBJECTIFS INTERMÉDIAIRES

2.1 Décrire ce que l'on ressent lorsqu'un système de forces agit sur soi.

2.2 Reconnaître des effets de forces qui s'exercent sur des objets de son environnement.

2.3 Déterminer, à la suite d'une expérience, la force équilibrante d'un système de forces.

2.8 Analyser des effets de forces en solutionnant des problèmes, des exercices numériques et graphiques.

2.4 Établir, à la suite d'une expérience, une relation entre la déformation d'une substance élastique et la force qui agit sur elle.

Nous savons que...

1. Une force peut avoir plusieurs effets sur un objet, par exemple:

_____

_____

_____

_____ .

2. On représente une force par la lettre _____ et on l'exprime en _____ (symbole: ____)

en l'honneur du physicien _____ .

3. On mesure une force à l'aide d'un instrument appelé _____ .

4. Une force est une quantité vectorielle; elle est déterminée en _____ et en

_____ .

5. Deux forces opposées agissant le long d'une même droite sont dans la même _____

mais sont en _____ contraires.

6. La somme vectorielle de plusieurs forces appliquées à un même point est la force _____

_____ .

7. Lorsque la somme vectorielle de deux ou de plusieurs forces concourantes est nulle, on dit que le

système est en _____ de _____ .

Nom: _____ Date: _____ Groupe: _____

8. Lorsque la somme vectorielle de deux ou de plusieurs forces concourantes n'est pas nulle, on peut rétablir l'équilibre en ajoutant une force appelée _____. Cette force est l'inverse de la force _____.

9. La force d'attraction qu'une planète exerce sur un corps est le _____ de ce corps. On le symbolise par l'expression _____ et on l'exprime en _____ _____.

10. L'équation qui relie le poids d'un objet à sa masse est:

11. Sur la Terre, on calcule le poids d'un objet en multipliant sa masse par le facteur _____ N/kg.

12. On représente la force gravitationnelle terrestre par un _____ tracé à partir du centre de gravité d'un corps et dirigé vers le _____ de la Terre.

Observons

Le schéma suivant montre une lanterne suspendue à une chaîne et maintenue par une poutre appuyée sur un mur. Tracez sur le schéma les vecteurs forces appliqués sur les points A, B et C. Négligez la masse de la poutre.

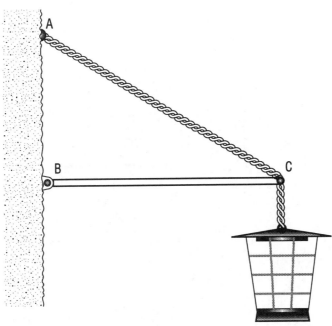

Précisez la nature de ces forces.

A. _____

_____ .

B. _____

_____ .

C. _____

_____

_____ .

Nom: _____   Date: _____   Groupe: _____

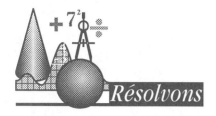

Déterminez la valeur (grandeur et orientation) de la résultante des systèmes de forces suivants.
Les vecteurs sont tracés à l'échelle 1 cm = 10 N

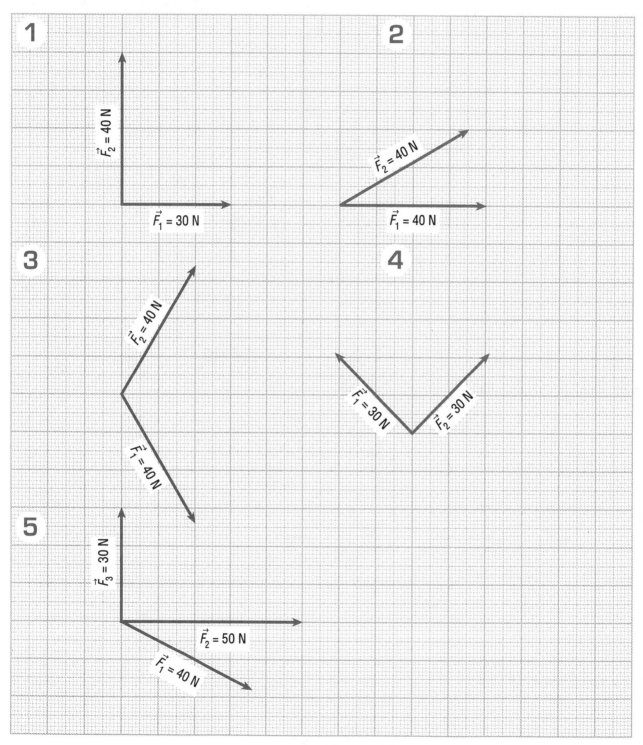

Nom: _____ **Date:** _____ **Groupe:** _____

Tracez le vecteur de l'équilibrante de chacun des systèmes de forces suivants.
Les vecteurs sont tracés à l'échelle 1 cm = 10 N

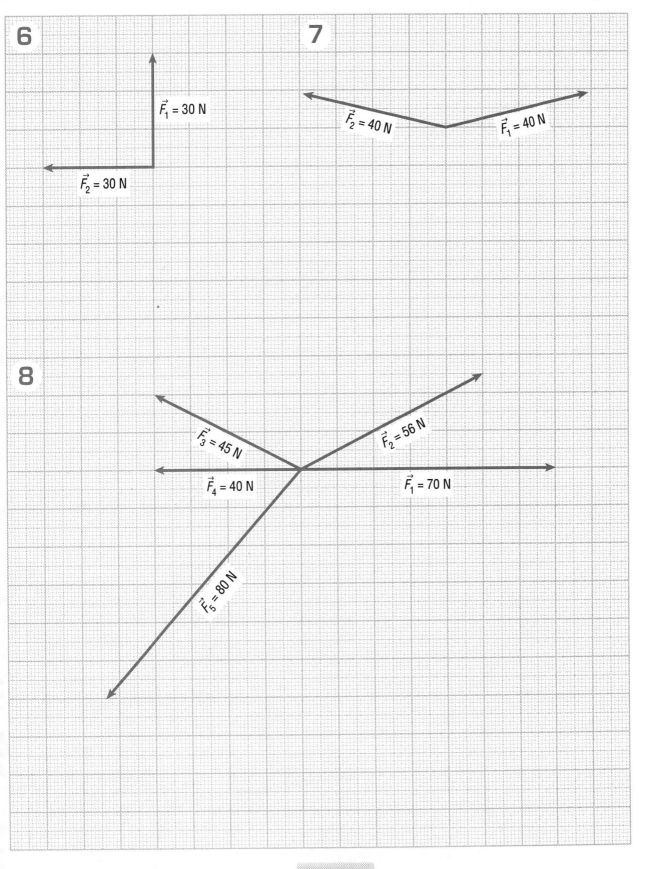

Nom: _____ Date: _____ Groupe: _____

9. Vous tirez un traîneau en appliquant une force de 80 N sur une corde faisant un angle de 30° avec l'horizontale.

Calculez la grandeur des composantes horizontale et verticale de la force appliquée.

Solution

Réponse:

$$F_x = \rule{5cm}{0.4pt}$$

$$F_y = \rule{5cm}{0.4pt}$$

10. Une personne de 50 kg est couchée dans un hamac suspendu entre deux arbres. Quelle est la grandeur de la tension exercée sur les attaches si celles-ci font un angle de 30° avec l'horizontale?

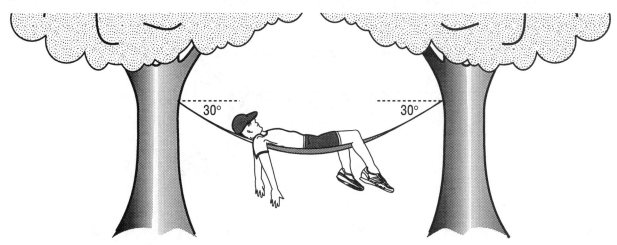

Solution

Réponse: _____

Nom: _____ **Date:** _____ **Groupe:** _____

Les questions 11 à 13 se rapportent au schéma suivant.
Le schéma montre une masse de 500 g suspendue par une corde de masse négligeable, reposant sur une poulie sans frottement et retenue à une tige par un dynamomètre.

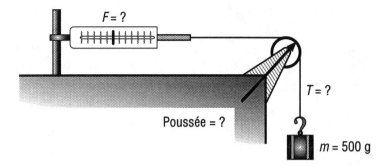

11. Quelle est la grandeur de la tension exercée sur la portion verticale de la corde?

Solution

Réponse: _____

12. Qu'indique le dynamomètre?

Solution

Réponse: _____

13. Quelle est la grandeur de la poussée exercée par la poulie sur la corde?

Solution

Réponse: _____

Nom: _____ Date: _____ Groupe: _____

Les questions 14 et 15 se rapportent au schéma suivant.

Une lanterne de 20 kg est assujettie à un mur au moyen d'une poutre horizontale et d'une chaîne faisant un angle de 30° avec le mur. (Négligez la masse de la chaîne et de la poutre.)

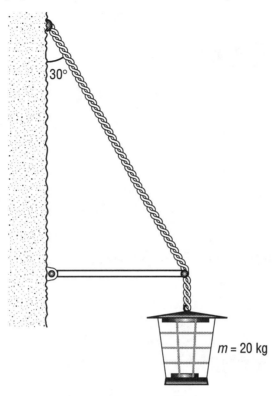

30°

$m = 20$ kg

14. Quelle est la grandeur de la tension dans la chaîne?

Réponse: _____

15. Quelle est la grandeur de la poussée exercée par la poutre sur la chaîne?

Réponse: _____

UNE DÉFORMATION ÉLASTIQUE

Nous savons que...

1. Lorsqu'un objet retrouve sa forme initiale après avoir été temporairement déformé, on dit que la déformation est _____.

2. Une déformation ne saurait se produire sans l'application d'une _____.

3. Dans le cas d'un ressort homogène, la déformation est _____ à la _____

_____.

4. La constante qui relie l'allongement d'un ressort homogène à la force appliquée se nomme

_____.

5. On symbolise cette constante par la lettre _____ et on l'exprime en _____ par

_____ dans le SI.

6. L'équation qui décrit une déformation élastique est:

7. Cette relation est connue sous le nom de «la loi de _____».

Nom: _____   Date: _____   Groupe: _____

Observons

On suspend successivement à un ressort quatre masses différentes, tel que le montre le schéma suivant.

| (a) | (b) | (c) | (d) |

100 g

200 g

400 g

600 g

Le ressort est-il homogène? _____

Justifiez votre réponse:

Nom: _____   Date: _____ Groupe: _____

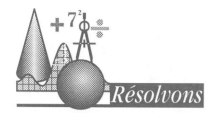

Résolvons

Calculez la constante de rappel des ressorts suivants.

1.

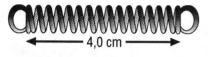

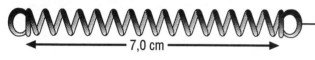

$F = 15$ N

Solution

Réponse: _____

2.

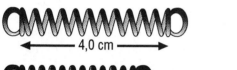

$F = 60$ N

Solution

Réponse: _____

3.

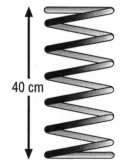

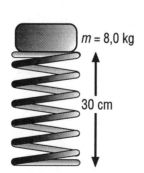

$m = 8,0$ kg

40 cm

30 cm

Solution

Réponse: _____

Nom: _____ Date: _____ Groupe: _____

4. Un ressort dont la constante de rappel est de 300 N/m est étiré de 50 cm sous l'effet d'une force. Quelle est la grandeur de cette force?

Solution

Réponse: _____

5. Vous appliquez une force de 150 N à un ressort dont la constante de rappel est de 400 N/m. Quelle variation de longueur le ressort subira-t-il?

Solution

Réponse: _____

Nom: _____ **Date:** _____ **Groupe:** _____

Les questions 6 et 7 se rapportent aux données suivantes.
Le graphique ci-dessous représente l'allongement d'un ressort homogène, initialement de 12 cm de longueur, en fonction de la force appliquée.

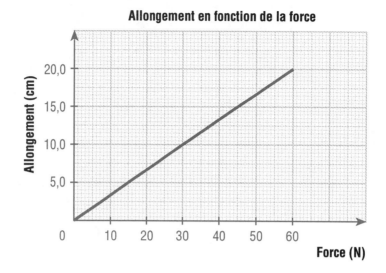

Allongement en fonction de la force

6. Quelle est la longueur du ressort lorsqu'il est soumis à une force de 30 N?

Solution

Réponse: _____

7. Quelle est la constante de rappel de ce ressort?

Solution

Réponse: _____

Nom: _____ Date: _____ Groupe: _____

Les questions 8, 9 et 10 se rapportent aux données suivantes.
Deux ressorts homogènes sont attachés ensemble comme le montre le schéma suivant. Le système est immobile.
Le ressort de gauche (k = 200 N/m) est fixé à un mur alors que celui de droite (k = 100 N/m) est soumis à une force de 25 N.

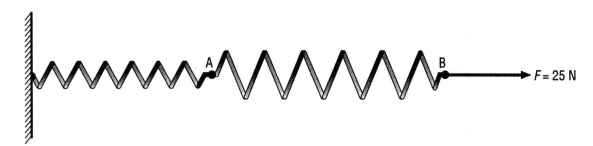

8. Quelle est la grandeur de la force exercée sur ressort de gauche?

Réponse: _____

9. Quelle est la grandeur de la résultante des forces exercées sur le point A?

Solution

Réponse: _____

10. Quelle distance le point B a-t-il parcourue durant l'allongement?

Solution

Réponse: _____

Les questions 11 et 12 se rapportent à un ressort homogène (k = 300 N/m) étiré sous l'effet du poids d'un objet de 20 kg.

11. L'objet est accroché au ressort, celui-ci étant suspendu à un plafond.
Quel est l'allongement du ressort?

Solution

Réponse: _____

12. Le ressort est fixé à un plan (sans frottement) incliné à 30° de l'horizontale et retient l'objet.
Quel est l'allongement du ressort?

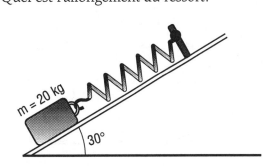

Solution

Réponse: _____

Nom: _____ **Date:** _____ **Groupe:** _____

Histoire, Technologie et Société

1. Sur quelle loi le fonctionnement du dynamomètre s'appuie-t-il?

_____ .

2. Un pèse-personne est-il une balance? _____ .

Précisez votre réponse.

_____

_____

_____

_____

_____

_____ .

3. Nommez trois systèmes mécaniques qui font appel à l'utilisation de ressorts hélicoïdaux.

_____ ,

_____ ,

_____ .

4. De quel chimiste reconnu, Robert Hooke était-il l'adjoint au début de sa carrière?

_____ .

Nom: _____   Date: _____ Groupe: _____

Autoévaluation

1. Dans laquelle des situations suivantes, la force exercée modifie-t-elle le mouvement et produit-elle en même temps une déformation de l'objet?

A) Frapper une balle
B) Lancer une balle
C) Ralentir un chariot
D) Accélérer un chariot

2. Quel nom donne-t-on à l'instrument qui sert à mesurer des forces?

A) Une balance
B) Un baromètre
C) Un dynamomètre
D) Un levier

3. Quelle relation y a-t-il entre l'allongement d'un ressort (l) et la grandeur de la force (F) qui provoque cet allongement?

A) $F \propto l$
B) $F \propto 1/l$
C) $F \propto l^2$
D) $F \propto 1/l^2$

4. Quel scientifique anglais proposa une relation mathématique pour expliquer les déformations élastiques?

A) Faraday
B) Hooke
C) Maxwell
D) Newton

5. La force est une quantité vectorielle parce qu'elle possède

A) une direction et une orientation.
B) une direction et un sens.
C) une grandeur et un sens.
D) une grandeur et une orientation.

6. Trouvez la résultante du système de forces suivant.
5,0 N à 0° + 6,0 N à 90° + 1,0 N à 180° + 2,0 N à 270°

A) 4,0 N à 180°
B) 5,7 N à 45°
C) 16 N à 135°
D) 14 N à 0°

4.4

7. Trouvez la résultante du système de forces suivant.

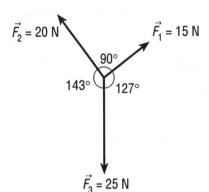

A) 0 N

B) 10 N à 0°

C) 10 N à 90°

D) 60 N à 0°

8. Quelle force faut-il ajouter au système suivant pour qu'il soit en équilibre?

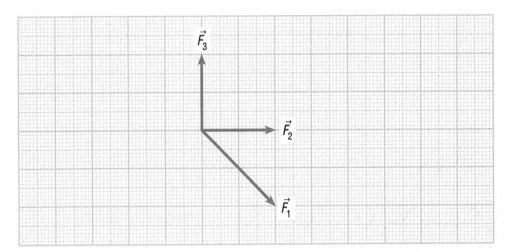

A)

B)

C)

D)

Nom: _____ **Date:** _____ **Groupe:** _____

Les questions 9 et 10 se rapportent à la situation suivante.
Vous tirez un traîneau avec une force de 70 N à l'aide d'une corde faisant un angle de 20° avec l'horizontale.

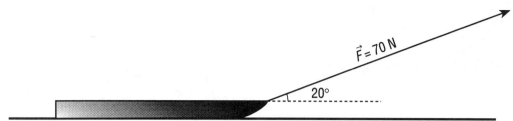

9. Quelle est la grandeur de la composante de la force qui tend à soulever le traîneau verticalement?

A) 24 N
B) 35 N
C) 66 N
D) 74 N

10. Quelle est la grandeur de la composante de la force qui fait avancer le traîneau?

A) 24 N   **B)** 35 N
C) 66 N   **D)** 74 N

11. Lequel des ressorts suivants possède la plus grande constante de rappel? (l = allongement)

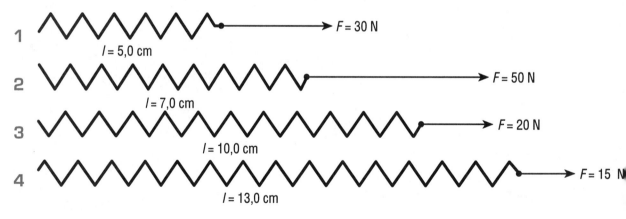

A) Le ressort 1   **B)** Le ressort 2
C) Le ressort 3   **D)** Le ressort 4

Nom: _____   **Date:** _____   **Groupe:** _____

12. Lors d'un laboratoire, en étirant un ressort relié à un dynamomètre, nous obtenons les mesures d'allongements et de forces suivantes.

Tableau

Force (N)	Allongement (cm)
0	0
3,1	1,5
3,9	2,0
4,9	2,5

Quelle est la constante de rappel de ce ressort?

A) 0,50 N/cm
B) 1,0 N/cm
C) 1,5 N/cm
D) 2,0 N/cm

13. Vous suspendez une masse marquée de 500 g à un ressort homogène dont la constante de rappel est de 300 N/m.
Quel est l'allongement du ressort?

A) 1,6 cm **B)** 6,0 cm **C)** 16 cm **D)** 60 cm

14. Lequel parmi les systèmes suivants est en équilibre de translation?

A)   **B)**   **C)**   **D)**

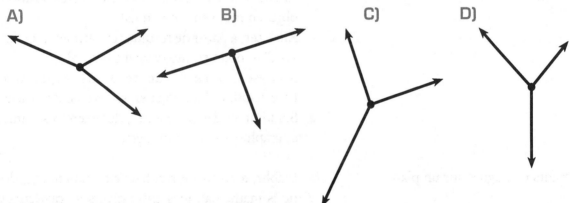

15. Un objet de 3,0 kg est suspendu au plafond par deux cordes faisant chacune un angle de 60° avec l'horizontale. Quelle est la tension dans les cordes?

A) 15 N **B)** 17 N **C)** 30 N **D)** 60 N

Nom: _____ Date: _____ Groupe: _____

L'ANALYSE DU MOUVEMENT: LA CINÉMATIQUE

OBJECTIF:

Décrire des mouvements d'objets à l'aide de grandeurs physiques analysées en laboratoire.

Dans cette unité:

SECTIONS	OBJECTIFS INTERMÉDIAIRES
La chute libre	**3.1** Analyser, à la suite d'une expérience, les positions d'un objet en mouvement vertical.
	3.2 Analyser, à partir de résultats expérimentaux, les vitesses d'un objet en mouvement vertical.
	3.3 Analyser, à l'aide de résultats expérimentaux, l'accélération d'un objet en mouvement vertical.
	3.9 Solutionner des problèmes, des exercices numériques et graphiques sur le mouvement.
Mouvements rectilignes sur un plan	**3.5** Établir, à partir de résultats expérimentaux, des relations mathématiques entre diverses grandeurs physiques caractéristiques du mouvement d'un objet.
	3.6 Analyser, à la suite d'expériences, des mouvements rectilignes d'objets sur un plan.
	3.9 Solutionner des problèmes, des exercices numériques et graphiques sur le mouvement.

Autoévaluation

LA CHUTE LIBRE

Nous savons que...

1. On dit d'un objet qui tombe et sur lequel la résistance du milieu ambiant est négligeable qu'il est en

_____.

2. Un objet qui tombe librement près de la surface de la Terre subit une augmentation de vitesse appelée

_____. Celle-ci vaut numériquement _____ et est exprimée en

_____.

3. Le quotient du déplacement d'un objet en mouvement rectiligne par l'intervalle de temps mis à effectuer

ce déplacement est la _____ de cet objet pour l'ensemble du trajet.

4. Le quotient du très court déplacement d'un objet en mouvement rectiligne par le très court intervalle

de temps correspondant est la _____ de cet objet.

5. Le quotient de la variation de la vitesse d'un objet par l'intervalle de temps correspondant se nomme

_____.

6. Les déplacements successifs, à intervalles de temps réguliers, d'un objet en chute libre sont de plus en

plus grands. Cela se traduit par une ligne _____ sur le graphique de la position en

fonction du temps.

7. L'accélération d'un objet en chute libre est constante. Cela se traduit par une ligne _____

_____ sur le graphique de la vitesse en fonction du temps.

Nom: _____   Date: _____   Groupe: _____

Le graphique suivant représente la position en fonction du temps d'un objet en chute libre à partir du repos. (Les positions sont considérées comme étant positives et l'origine est située au point de départ)

POSITION EN FONCTION DU TEMPS

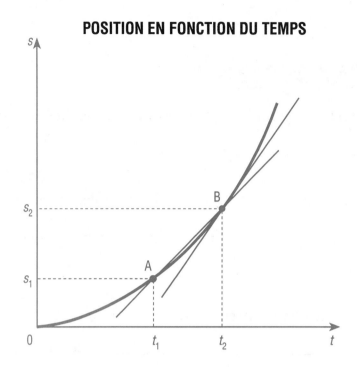

8. La pente de la droite qui relie les points A et B est égale à la _____ _____ de l'objet entre les instants t_1 et t_2.

9. La pente de la tangente à la courbe au point B est égale à la _____ _____ de l'objet à l'instant _____.

10. Si l'objet part du repos, la pente de la courbe à l'origine est _____.

Nom: _____ Date: _____ Groupe: _____

Le graphique suivant représente la vitesse en fonction du temps d'un objet en chute libre. (Les déplacements sont considérés comme étant positifs.)

VITESSE EN FONCTION DU TEMPS

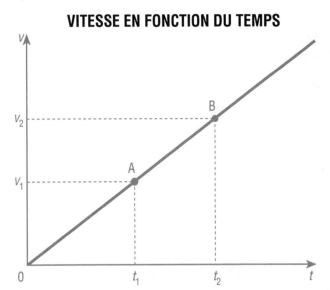

11. La pente de la droite est égale à _____ de l'objet et vaut _____

près de la surface de la Terre.

12. La pente de cette droite à l'origine vaut _____.

13. L'aire sous la courbe du graphique de la vitesse en fonction du temps, calculée entre deux instants

donnés, représente le _____ de l'objet durant cet intervalle de temps.

14. Le graphique de l'accélération en fonction du temps d'un objet en chute libre est une droite dont la

pente est _____.

15. L'aire sous la courbe du graphique de l'accélération en fonction du temps représente la variation de

la _____.

Nom: _____ Date: _____ Groupe: _____

Observons

Le schéma ci-contre repésente un objet en chute libre près de la surface de la Terre, tel qu'observé à intervalles de 0,20 s à partir du repos. Les positions sont tracées à l'échelle 1 cm = 25 cm.

1. À partir des mesures effectuées sur le schéma, dressez un tableau des temps et des positions.

Temps (s)	Position (m)
0	0

t_0 • s_0

•

•

•

•

•

Échelle: 1 cm = 25 cm

Nom: _____   Date: _____   Groupe: _____

2. Tracez un graphique de la position de l'objet en fonction du temps. (Les positions sont considérées comme étant positives et l'origine est située au point de départ.)

Position en fonction du temps

0

Nom: _____ **Date:** _____ **Groupe:** _____

3. **a)** À partir du graphique de la position en fonction du temps, calculez la valeur de la vitesse instantanée du mobile à $t = 0,40$ s, $t = 0,60$ s et $t = 0,80$ s.

$v_{0,40\ s} =$ _____

$v_{0,60\ s} =$ _____

$v_{0,80\ s} =$ _____

b) Tracez le graphique de la vitesse de l'objet en fonction du temps.

VITESSE EN FONCTION DU TEMPS

0

c) À partir du graphique de la vitesse en fonction du temps, calculez la valeur de l'accélération de l'objet.

$a =$ _____

d) À partir du graphique de la vitesse en fonction du temps, calculez la grandeur du déplacement du mobile entre $t = 0,40$ s et $t = 0,80$ s.

$$\Delta s = \underline{\hspace{4cm}}$$

e) Comparez cette valeur à celle mesurée sur le schéma de la page 52 en calculant le pourcentage d'écart entre elles.

Calcul

$$\% \text{ d'écart} = \underline{\hspace{4cm}}$$

4. a) Tracez le graphique de l'accélération du mobile en fonction du temps.

ACCÉLÉRATION EN FONCTION DU TEMPS

0

b) À partir du graphique de l'accélération en fonction du temps, calculez l'accroissement de la vitesse du mobile entre $t = 0,40$ s et $t = 0,80$ s.

$$\Delta v = \underline{\hspace{4cm}}$$

Nom: _____ Date: _____ Groupe: _____

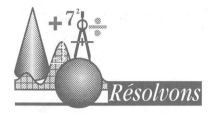

Les numéros 1 à 6 se rapportent aux données suivantes.

Un ouvrier échappe un marteau du toit d'une maison. Le marteau (sur lequel on négligera la résistance de l'air) tombe verticalement et touche le sol 1,1 s plus tard.

1. Tracez le graphique de l'accélération du marteau en fonction du temps de chute. (L'accélération est constante et vaut 9,8 m/s^2.)

ACCÉLÉRATION EN FONCTION DU TEMPS

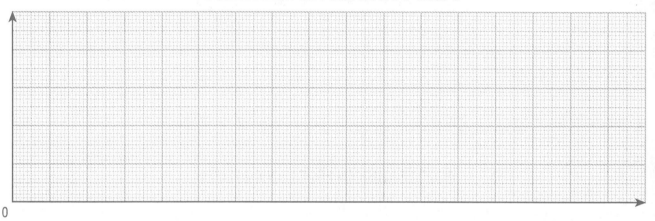

0

2. À partir du graphique de l'accélération en fonction du temps, tracez celui de la vitesse en fonction du temps. (On considère la vitesse comme étant positive.)

VITESSE EN FONCTION DU TEMPS

0

Nom: _____ Date: _____ Groupe: _____

3. À partir du graphique de la vitesse en fonction du temps, tracez celui de la position en fonction du temps. (Les positions sont positives et l'origine est située au point de départ.)

POSITION EN FONCTION DU TEMPS

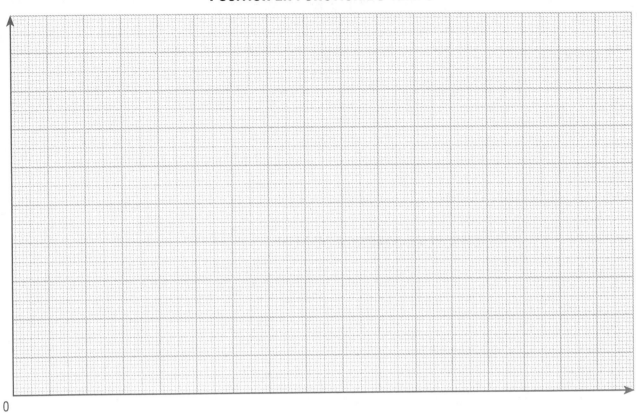

0

4. À quelle vitesse le marteau a-t-il touché le sol? $v =$ _____

5. Quelle est la hauteur de la maison? $h =$ _____

6. Quelle distance le marteau a-t-il parcourue pendant

    a) la première demi-seconde de chute? $\Delta s =$ _____

    b) la deuxième demi-seconde de chute? $\Delta s =$ _____

Les questions 7 et 8 se rapportent aux données suivantes.
Un objet tombe du sommet de l'édifice de la Place Ville-Marie à Montréal et met 6,7 s avant d'atteindre le sol.

7. À quelle vitesse l'objet touche-t-il le sol? Négligez la résistance de l'air.

Solution

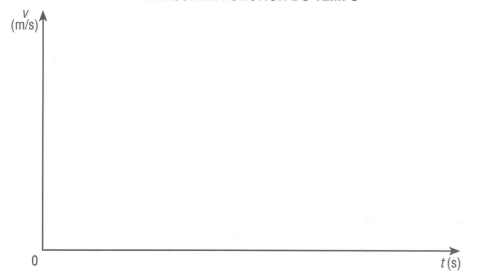

VITESSE EN FONCTION DU TEMPS

Réponse: _____

8. Quelle est la hauteur de l'édifice?

Solution

Réponse: _____

Nom: _____ **Date:** _____ **Groupe:** _____

Les numéros 9 à 12 se rapportent à l'énoncé suivant.

Une balle de baseball est frappée verticalement vers le haut avec une vitesse de 30 m/s. La balle ralentit au taux de -10 m/s^2, atteint le sommet de sa trajectoire, puis accélère en descendant au taux de -10 m/s^2. (Par opposition à la montée, la vitesse doit être considérée comme négative en descendant. Une augmentation de vitesse négative implique une accélération négative.)

9. Tracez le graphique de la vitesse de la balle en fonction du temps pour les six secondes que dure l'envol.

VITESSE EN FONCTION DU TEMPS

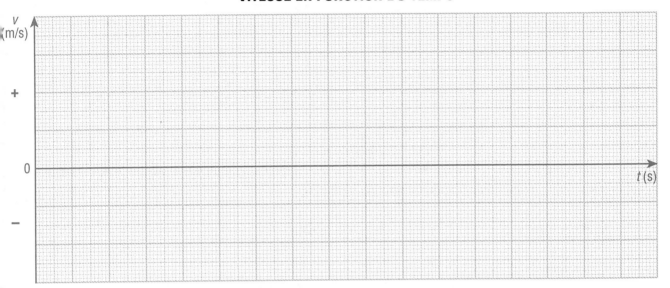

10. Tracez le graphique de la position de la balle à chacune de ces six secondes.

POSITION EN FONCTION DU TEMPS

11. Quelle est la hauteur maximale atteinte par la balle?

Solution

Réponse: _____

12. Quel est le déplacement de la balle pendant la dernière seconde de son ascension?

Solution

Réponse: _____

Les questions 13 à 15 se rapportent aux données suivantes.

Une astronaute en mission sur Mars (sur laquelle l'accélération gravitationnelle vaut 3,7 m/s^2) lance un objet verticalement vers le haut à une vitesse de 14,8 m/s.

13. Après combien de temps l'objet touchera-t-il le sol?

Solution

Réponse: _____

14. Quelle hauteur maximale l'objet atteindra-t-il?

Solution

Réponse: _____

15. Quelle est l'accélération de l'objet lorsqu'il est au sommet de sa trajectoire?

Solution

Réponse: _____

16. Du sommet d'un édifice de 30,0 m de hauteur, vous lancez une balle verticalement vers le haut à une vitesse initiale de 20 m/s. La balle monte, redescend en frôlant l'édifice puis touche le sol. Quelle était la position de la balle, par rapport au sol, 5,0 s après le lancement?

Solution

Réponse: _____

Nom: _____ Date: _____ Groupe: _____

MOUVEMENTS RECTILIGNES SUR UN PLAN

Nous savons que...

1. Un objet qu'on laisse glisser à **partir du repos**, sans frottement, le long d'un plan incliné subit une

_____ constante.

La valeur de son accélération est nécessairement supérieure à _____ et inférieure à

_____.

Sa vitesse augmente donc régulièrement et la variation de vitesse est _____ au temps

écoulé.

La distance parcourue est proportionnelle au _____ du temps écoulé.

L'équation qui relie la vitesse à l'accélération et au temps est

L'équation qui relie le déplacement à l'accélération et au temps est

2. Un objet qui se déplace en mouvement rectiligne uniforme sur un plan horizontal a une vitesse

_____.

Son accélération est _____.

La distance parcourue est _____ au temps écoulé.

L'équation qui relie la vitesse au déplacement et au temps est

Nom: _____   Date: _____   Groupe: _____

Observons

Le ruban ci-après était relié à un chariot de laboratoire qui a roulé successivement sur un plan horizontal puis sur un plan incliné puis à nouveau sur un plan horizontal.

La fréquence du minuteur était de 2,0 Hz et les points ont été tracés à l'échelle 1 cm = 0,5 m.

Mouvement du chariot ⟶

Échelle: 1 cm = 0,5 m

À partir de l'enregistrement, complétez le tableau des mesures qui suit, puis tracez les trois graphiques de la page suivante.

TABLEAU DES MESURES

Temps (s)	Position (m)
0	0

Nom: _____   Date: _____   Groupe: _____

POSITION EN FONCTION DU TEMPS

s
(m)

0   0,5   1,0   1,5   2,0   2,5   3,0   3,5   4,0 t

VITESSE EN FONCTION DU TEMPS

v
(m/s)

0   0,5   1,0   1,5   2,0   2,5   3,0   3,5   4,0 t

ACCÉLÉRATION EN FONCTION DU TEMPS

a
(m/s²)

0   0,5   1,0   1,5   2,0   2,5   3,0   3,5   4,0

64

Nom: _____ Date: _____ Groupe: _____

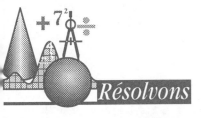

Résolvons

Les numéros 1 et 2 se rapportent au graphique suivant.
Le graphique représente la vitesse en fonction du temps d'une voiture dans la circulation.

VITESSE EN FONCTION DU TEMPS

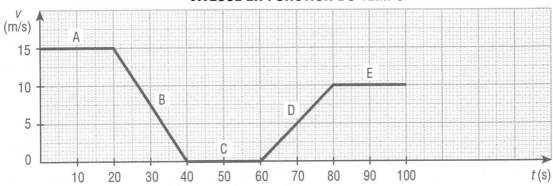

1. Décrivez, le plus complètement possible, le mouvement du véhicule à chacune des cinq étapes du mouvement.

A. _____

_____

B. _____

_____

C. _____

_____

D. _____

_____

E. _____

_____

Nom: _____ Date: _____ Groupe: _____

2. Tracez le graphique de la position de la voiture en fonction du temps ($s = 0$ m à $t = 0$ s).

POSITION EN FONCTION DU TEMPS

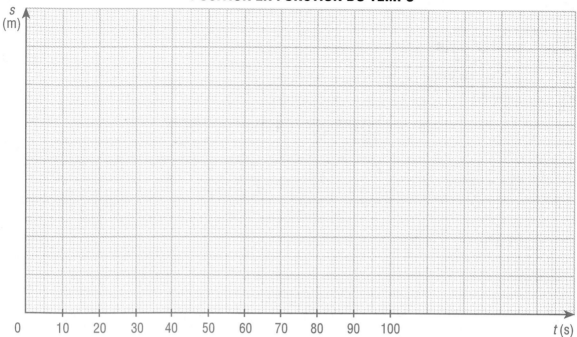

Les numéros 3 à 6 se rapportent aux données suivantes.

Vous roulez à vélo sur une route droite et horizontale à une vitesse constante de 8,0 m/s pendant 20 s, puis vous freinez uniformément et vous vous arrêtez 12 s plus tard.

3. Tracez le graphique de votre vitesse en fonction du temps.

4. Quelle a été votre accélération

    a) pendant les vingt premières secondes?

                    Réponse: _____

    b) pendant les douze dernières secondes?

                    Réponse: _____

66

Nom: _____ Date: _____ Groupe: _____

5. Quelle distance avez-vous parcourue

   a) pendant les vingt premières secondes?

   b) pendant les douze dernières secondes?

6. Au moment de votre arrêt, quelle distance vous aurait séparé d'un camarade qui, roulant à vos côtés, aurait continué à rouler en ligne droite et à vitesse constante?

   Solution

Les questions 7 à 9 se rapportent aux données suivantes.

Une réclame publicitaire télévisée montre une vue aérienne de trois voitures roulant côte à côte en ligne droite à une vitesse constante de 12 m/s.

Au même instant (t_0), la voiture rouge se démarque en accélérant au taux constant de 4,0 m/s² alors que la voiture verte maintient son allure et que la voiture bleue décélère au taux constant de −4,0 m/s².

7. Tracez les graphiques vitesse-temps puis position-temps des trois voitures pendant les trois secondes qui ont suivi l'instant t_0.

VITESSE EN FONCTION DU TEMPS

△ Voiture rouge
○ Voiture verte
□ Voiture bleue

POSITION EN FONCTION DU TEMPS

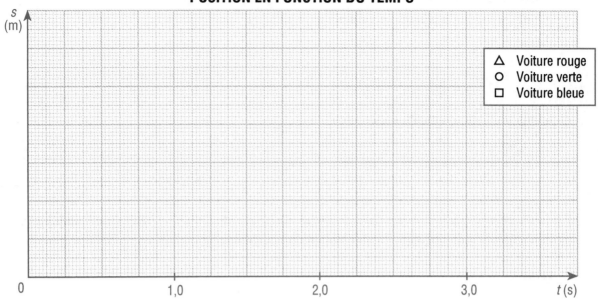

8. Quelle distance sépare la voiture bleue de la voiture verte à la deuxième seconde?

Réponse: _____

9. De quelle distance la voiture rouge devance-t-elle la voiture bleue au moment où celle-ci s'arrête?

Réponse: _____

Les questions 10 et 11 se rapportent aux données suivantes.
Une skieuse négocie la première partie d'une descente en maintenant une accélération constante de 4,0 m/s^2.

10. Si cette section de la piste est en ligne droite et mesure 100 m, quelle est alors la vitesse de la skieuse?

Solution

Réponse: _____

11. Quel temps a-t-elle réalisé pour cette première section de la descente?

Solution

Réponse: _____

Nom: _____ Date: _____ Groupe: _____

Les questions 12 et 13 se rapportent aux données suivantes.
Un cycliste, roulant à vitesse constante, accélère uniformément au taux de 3,0 m/s² pendant 5,0 s et atteint une vitesse de 20 m/s.

12. Quelle était la vitesse initiale du cycliste?

Solution

Réponse: _____

13. Quelle distance le cycliste a-t-il franchie durant son accélération?

Solution

Réponse: _____

Les questions 14 et 15 se rapportent aux données suivantes.
Un avion se pose sur une piste d'atterrissage à une vitesse de 50 m/s et s'arrête vingt secondes après avoir touché la piste.

14. Quelle a été l'accélération de l'avion?

Solution

Réponse: _____

15. Quelle longueur de piste l'avion a-t-il franchie?

Solution

Réponse: _____

Nom: _____ Date: _____ Groupe: _____

Les numéros 16 à 19 se rapportent aux données suivantes.

Lors d'une course de patinage à relais, une participante, partant du repos, doit en rejoindre une autre se déplaçant sur un arc de cercle de 10 m de rayon à une vitesse dont la grandeur constante est de 8,0 m/s.

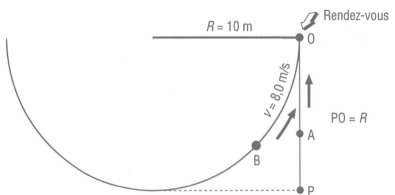

16. Si la participante A part du point P (voir schéma), quelle accélération constante devra-t-elle maintenir si elle veut avoir acquis la même vitesse que sa coéquipière B à l'instant du rendez-vous?

Solution

Réponse: _____

17. Quel temps la patineuse A mettra-t-elle à effectuer son sprint?

Solution

Réponse: _____

18. Quelle est la longueur de la trajectoire décrite par la coéquipière B pendant ce temps?

Solution

Réponse: _____

19. Situez sur le schéma l'endroit où se trouvait la patineuse B au moment où sa coéquipière amorçait son sprint?

Solution

Réponse: _____

Nom: _____   Date: _____   Groupe: _____

20. Un cinéaste filme le mouvement d'une auto qui accélère en ligne droite au taux de 4,0 m/s² à partir du repos. Le champ de la caméra couvre une distance de 50 m commençant à 60 m du point de départ de l'auto (schéma ci-dessous).

Combien de temps cette prise de vue durera-t-elle?

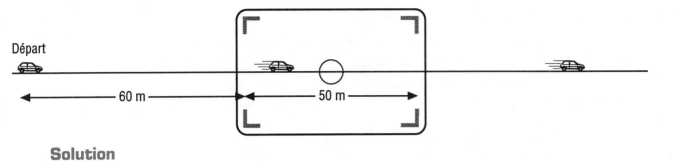

Solution

Réponse: _____

Nom: _____ **Date:** _____ **Groupe:** _____

Autoévaluation

1. On dit qu'un corps est en chute libre lorsque

A) sa vitesse initiale est non nulle et demeure constante pendant sa chute.

B) sa vitesse initiale est non nulle et augmente de manière constante pendant sa chute.

C) sa vitesse initiale est non nulle et diminue pendant sa chute.

D) sa vitesse initiale est nulle et augmente de manière constante pendant sa chute.

Les questions 2 à 5 se rapportent aux données suivantes.
On laisse tomber verticalement une bille de métal reliée par un ruban à un chronomètre enregistreur.
Le schéma ci-dessous représente une portion de ce ruban.
Chacun des points est espacé de 0,05 s.

Échelle: 1 cm = 2 cm

2. Lequel des graphiques suivants représente le mieux possible la position de la bille en fonction du temps pendant sa chute?

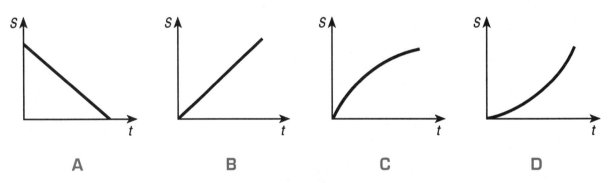

| A | B | C | D |

3. Quelle est la distance parcourue par la bille pendant les 0,2 premières secondes?

A) 2,0 cm   **B)** 4,9 cm   **C)** 9,8 cm   **D)** 20 cm

4. Quelle est la vitesse moyenne de la bille pendant les 0,2 premières secondes?

A) 9,8 cm/s   **B)** 49 cm/s   **C)** 98 cm/s   **D)** 196 cm/s

5. De quel type de mouvement s'agit-il?

A) Un mouvement à vitesse constante et à accélération nulle

B) Un mouvement à vitesse variable et à accélération nulle

C) Un mouvement à vitesse variable et à accélération constante

D) Un mouvement à vitesse variable et à accélération variable

6. Un coureur du 100 m est capable d'atteindre une vitesse de 10 m/s en moins de 4 s à partir du repos. Lequel des graphiques suivants peut correspondre à cette situation?

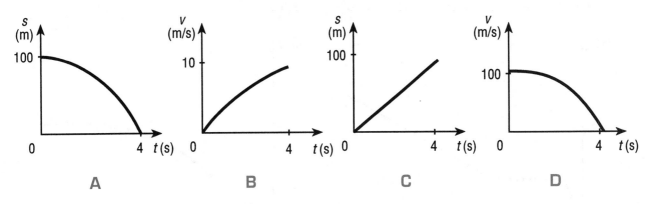

A   B   C   D

7. Parmi les graphiques suivants, lequel peut correspondre à un mouvement à vitesse variable et à accélération constante?

A)

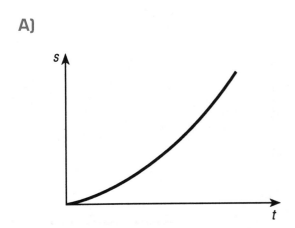

B)

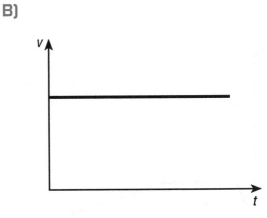

C)

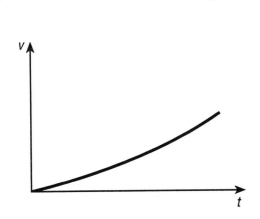

D)

8. Un véhicule accélère de 4,0 m/s² pendant 2 s, puis garde une vitesse constante pendant 10 secondes pour ensuite s'immobiliser au bout de 20 secondes.
Lequel des graphiques suivants correspond à cette situation?

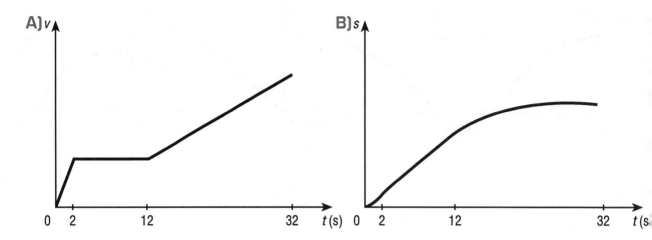

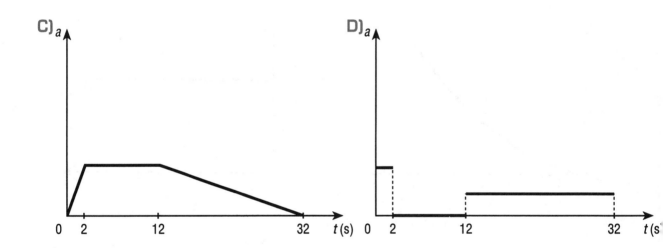

9. Le graphique suivant représente l'accélération d'un cycliste pendant 10 secondes.

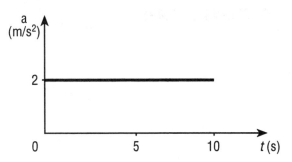

Quelle variation de vitesse a-t-il subie?

A) 2 m/s

B) 5 m/s

C) 10 m/s

D) 20 m/s

10. Un chariot de laboratoire initialement au repos dévale un plan incliné avec une accélération constante de 2,0 m/s².

Quelle est sa vitesse, à 0,50 m du point de départ?

A) 0,25 m/s   **B)** 1,0 m/s   **C)** 1,4 m/s   **D)** 4,0 m/s

11. Un cycliste roule à une vitesse de 2,0 m/s sur une surface horizontale. Il décide d'accélérer de façon constante et parcourt ainsi une distance de 40 m en 8,0 s.

Lequel des graphiques suivants représente ce mouvement?

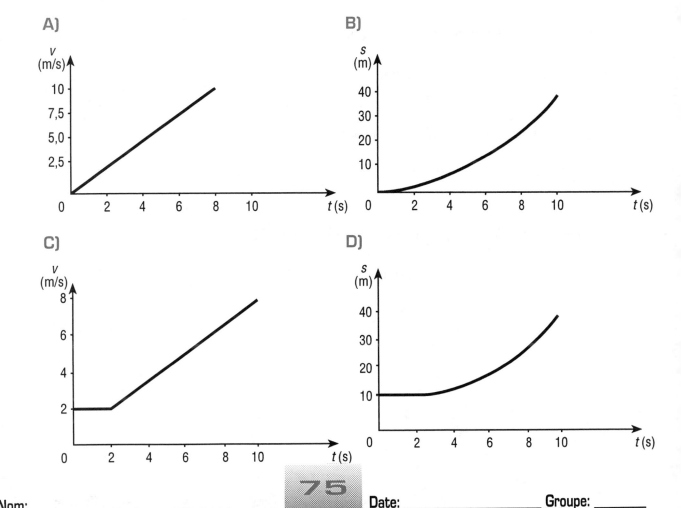

Nom: _____   Date: _____   Groupe: _____

Les questions 12 à 16 se rapportent au graphique suivant.

VITESSE EN FONCTION DU TEMPS

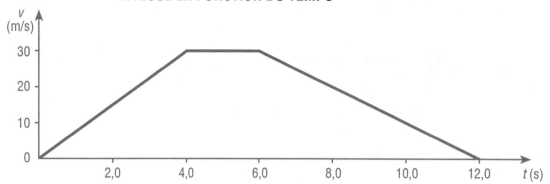

12. Quelle est l'accélération du mobile à la deuxième seconde?

   A) 5,0 m/s²   **B)** 7,5 m/s²   **C)** 10 m/s²   **D)** 60 m/s²

13. Quelle est l'accélération du mobile à la 5ᵉ seconde?

   A) 0 m/s²   **B)** 5,0 m/s²   **C)** 7,5 m/s²   **D)** 30 m/s²

14. Quelle est l'accélération du mobile à la dixième seconde?

   A) −1,0 m/s²   **B)** −2,5 m/s²   **C)** −5,0 m/s²   **D)** −90 m/s²

15. Quelle distance totale le mobile a-t-il parcourue?

   A) 60 m   **B)** 90 m   **C)** 120 m   **D)** 210 m

16. Quelle distance le mobile a-t-il parcourue pendant sa décélération?

   A) 90 m   **B)** 120 m   **C)** 150 m   **D)** 360 m

Nom: _____   Date: _____   Groupe: _____

Les questions 17 à 20 se rapportent aux données suivantes.

Deux embarcations évoluent côte à côte en ligne droite et à une vitesse constante de 4,0 m/s. L'embarcation A maintient son allure alors que l'embarcation B ralentit uniformément et s'arrête au bout de 40 m.

17. Quelle est l'accélération de l'embarcation B?

A) $-0,10$ m/s^2 B) $-0,20$ m/s^2 C) -10 m/s^2 D) -20 m/s^2

18. Quel est le temps d'arrêt de l'embarcation B?

A) 5 s   B) 10 s   C) 20 s   D) 40 s

19. Quelle distance sépare les deux embarcations lorsque l'embarcation B s'arrête?

A) 20 m   B) 40 m   C) 60 m   D) 80 m

20. Si l'embarcation B démarre aussitôt après s'être immobilisée, quelle accélération constante devra-t-elle maintenir pour rattraper l'embarcation A en 30 s?

A) 0,13 m/s^2 B) 0,29 m/s^2 C) 0,36 m/s^2 D) 0,54 m/s^2

Nom: _____ Date: _____ Groupe: _____

LES FORCES ET LE MOUVEMENT: LA DYNAMIQUE

OBJECTIF:

Analyser, à partir de résultats expérimentaux obtenus en situation de laboratoire, le mouvement rectiligne d'objets soumis à des forces.

Dans cette unité:

SECTIONS

Les deux premières lois de Newton

La gravitation

Le frottement

Histoire, Technologie et Société
Autoévaluation

OBJECTIFS INTERMÉDIAIRES

4.1 Identifier, à la suite d'observations, la cause du changement de l'état de repos ou de l'état de mouvement d'un objet.

4.2 Mesurer, au cours d'expériences, l'accélération due à une force appliquée sur des objets de masse différente.

4.3 Établir, à partir de résultats expérimentaux, une relation mathématique entre les différents facteurs qui influencent l'accélération d'un objet.

4.4 Associer, en intégrant des apprentissages réalisés dans diverses disciplines, la cause de la chute d'un objet à la pesanteur.

4.6 Identifier, à la suite d'observations effectuées dans son environnement ou en laboratoire, des facteurs qui influencent la grandeur d'une force de frottement.

LES DEUX PREMIÈRES LOIS DE NEWTON

Nous savons que...

1. Un objet au repos demeurera au repos tant que la résultante des forces appliquées à cet objet sera

_____.

2. Un objet libre de se déplacer sans frottement sur un plan horizontal conservera une

_____ constante après avoir été mis en mouvement.

3. Cette propriété de la matière se nomme _____ et est reliée à la

_____ de l'objet.

4. On peut considérer que la _____ d'un objet est une mesure de son

_____.

5. La première loi de Newton s'inspire du principe d'inertie préalablement énoncé par

_____.

6. La première loi de Newton stipule que_____

_____

_____

_____.

7. On dit d'un objet au repos ou en mouvement rectiligne uniforme qu'il est en _____

de translation.

Nom: _____   **Date:** _____   **Groupe:** _____

8. Un objet libre de se déplacer sans frottement sur un plan horizontal subit une _____

_____ constante si on le soumet à une force _____.

9. L'accélération d'un objet est directement proportionnelle à la _____ résultante.

10. L'accélération d'un objet est inversement proportionnelle à sa _____.

11. On définit le newton comme étant la grandeur de la force qui

_____

_____.

12. On représente généralement la deuxième loi de Newton par l'équation suivante:

Nom: _____ Date: _____ Groupe: _____

Observons

Le dessin suivant montre un système de deux chariots accélérés par la chute d'un objet.
Sur chacun des chariots se trouve un observateur de masse négligeable. Chaque observateur considère le mouvement exclusivement par rapport à son propre système de référence.

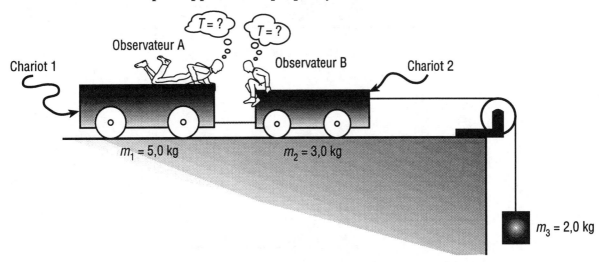

Après avoir calculé l'accélération de l'ensemble, calculez la tension T que subit le câble reliant les chariots

- **a)** tel que le ferait l'observateur A
- **b)** tel que le ferait l'observateur B
  Négligez les frottements

A) **Calcul de l'observateur A**

B) **Calcul de l'observateur B**

Nom: _____ Date: _____ Groupe: _____

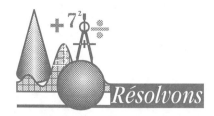

Résolvons

Quelle est la grandeur de l'accélération subie par les chariots suivants?

1.

$m = 20$ kg $F = 5,0$ N

Frottement négligeable

Solution

Réponse: _____

2.

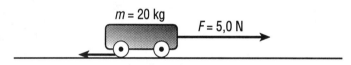

$m = 20$ kg $F = 5,0$ N

Frottement = 2,0 N

Solution

Réponse: _____

3.

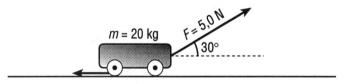

$m = 20$ kg $F = 5,0$ N $30°$

Frottement = 2,0 N

Solution

Réponse: _____

Nom: _____ Date: _____ Groupe: _____

4. Un objet subit une accélération de 2,0 m/s². Quelle sera son accélération si on diminue sa masse de moitié tout en triplant la force exercée?

Solution

Réponse: _____

5. Quelle est la grandeur de la force de frottement exercée sur un bloc de 2,0 kg, se déplaçant sur une surface horizontale sous l'action d'une force de 5,0 N, lorsqu'il subit une accélération de 0,50 m/s² dans le sens de la force appliquée?

Solution

Réponse: _____

6. Une auto de 1 800 kg file à une vitesse constante de 100 km/h sur une route droite et horizontale. Si la somme des forces retardatrices exercées sur l'auto est de 1 000 N, quelle est la grandeur de la force de traction qui la maintient à vitesse constante?

Solution

Réponse: _____

Les questions 7 à 9 se rapportent aux données suivantes.
Une camionnette de 1 800 kg file sur une route droite et horizontale à une vitesse de 30 m/s. Le conducteur applique les freins et transmet aux roues une force retardatrice totale de 5 000 N jusqu'à l'arrêt du véhicule.

7. Quelle est la grandeur de l'accélération du véhicule?

Solution

Réponse: _____

8. Quel est le temps de freinage?

Solution

Réponse: _____

9. Quelle est la distance de freinage?

Solution

Réponse: _____

Les questions 10 à 12 se rapportent aux données suivantes.
Vous roulez à vélo en ligne droite et à une vitesse constante de 12 m/s. Vous décidez d'accélérer pendant 10 s et vous atteignez une vitesse de 18 m/s. Supposons que votre masse est de 50 kg, celle de votre vélo, 10 kg et que la force retardatrice totale est constante et vaut 600 N.

10. Quelle est votre accélération?

Solution

Réponse: _____

11. Quelle est la grandeur de la force de traction?

Solution

Réponse: _____

12. Quelle distance avez-vous parcourue pendant ce temps?

Solution

Réponse: _____

13. Deux wagons de cinq tonnes chacun, reliés ensemble, sont soumis à une force accélératrice constante et horizontale de 2 000 N.

Calculez

a) l'accélération de l'ensemble;

b) la tension exercée au point d'attache entre les deux wagons.

a) **Solution**

Réponse: _____

b) **Solution**

Réponse: _____

Les questions 14 et 15 se rapportent aux données suivantes.

Le schéma suivant montre un chariot de laboratoire de 1,2 kg pouvant se déplacer sur un plan horizontal sous l'action d'une corde, de masse négligeable, passant dans une poulie. Les frottements sont négligeables.

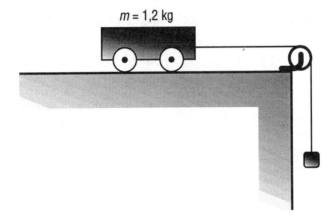

$m = 1,2$ kg

14. Quelle est l'accélération du système si la masse suspendue est de 300 g?

Solution

Réponse: _____

Nom: _____ Date: _____ Groupe: _____

15. Quelle masse devrez-vous suspendre pour simuler une chute sur la Lune?

Solution

Réponse: _____

Les questions 16 à 19 inclusivement se rapportent aux données suivantes.
Un chariot de 1,56 kg reposant sur un plan incliné à 40° de l'horizontale
est maintenu par une corde reliée à une masse marquée.
Les frottements sont négligeables.

16. Si le système est immobile, quelle est la valeur de cette masse marquée?

Solution

Réponse: _____

17. Quelle est la tension dans la corde?

Solution

Réponse: _____

18. Quelle est la grandeur de la poussée exercée par le plan sur chacune des roues du chariot?

Solution

Réponse: _____

Nom: _____   Date: _____   Groupe: _____

19. Par quelle masse devrait-on remplacer la masse marquée pour que le chariot accélère au taux constant de 2,0 m/s²

a) vers le haut du plan?

b) vers le bas du plan?

a) **Solution**

Réponse: _____

b) **Solution**

Réponse: _____

20. Vous êtes dans un ascenseur. Supposons que votre masse soit de 50 kg. Quel est votre poids apparent si l'ascenseur

a) monte à une vitesse constante de 2,0 m/s?

b) monte avec une accélération constante de 0,5 m/s²?

c) descend avec une accélération constante de 0,5 m/s²?

a) **Solution**

Réponse: _____

b) **Solution**

Réponse: _____

c) **Solution**

Réponse: _____

Nom: _____   Date: _____   Groupe: _____

LA GRAVITATION

Nous savons que...

1. La grande loi de la gravitation universelle est l'œuvre du physicien anglais _____.

2. Cette loi stipule que: _____

_____

_____

_____ .

3. Deux objets de 1 kg éloignés de 1 m s'attirent avec une force de _____.

4. Cette valeur se nomme _____ .

5. On la symbolise par la lettre _____ et on l'exprime en _____ .

6. L'équation qui permet de calculer la force d'attraction entre deux objets est

7. Si on double la distance entre deux objets, la force qui les attire devient _____.

8. L'équation qui permet de calculer la valeur de l'intensité du champ gravitationnel à la surface d'une planète est

```

```

9. Sur la Terre, l'intensité du champ gravitationnel vaut _____.

10. À une altitude de trois rayons terrestres, la valeur du champ est de _____.

11. Le produit de la masse d'un corps par l'intensité du champ gravitationnel est communément appelé

le _____ du corps et est exprimé en _____.

12. Un objet situé hors d'un champ de gravitation n'a pas de _____, mais conserve

sa _____.

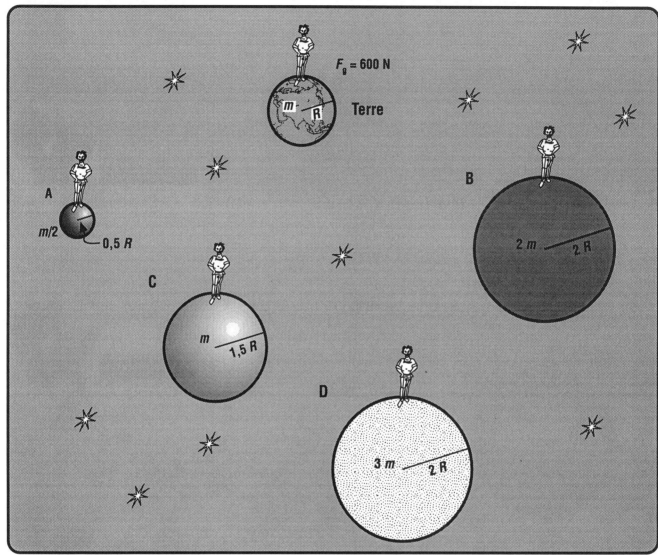

Sur la Terre de masse m et de rayon R, une personne pèse 600 N. Évaluez son poids sur les planètes A, B, C et D

F_{gA} = _____

F_{gB} = _____

F_{gC} = _____

F_{gD} = _____

Nom: _____ Date: _____ Groupe: _____

Résolvons

1. Calculez la grandeur de la force d'attraction gravitationnelle qui existe entre une voiture de 1 200 kg et un camion de 5 400 kg situés à 20 m l'un de l'autre.

Solution

Réponse: _____

2. Calculez la grandeur de la force d'attraction que la Lune exerce sur un astronaute de 75 kg lorsqu'il est situé
   a) sur la Terre
   b) sur la Lune

Masse de la Lune: $7,3 \times 10^{22}$ kg
Rayon de la Lune: $1,7 \times 10^3$ km
Distance Terre-Lune: $3,7 \times 10^5$ km (à la surface de la Terre)

a) Solution

Réponse: _____

b) Solution

Réponse: _____

Nom: _____   **Date:** _____   **Groupe:** _____

3. On place deux objets à une certaine distance l'un de l'autre. Les objets s'attirent avec une force F_g. Qu'advient-il de cette force

    a) si on double la distance entre les objets?

       Solution

       Réponse: _____

    b) si on place les objets trois fois plus près l'un de l'autre?

       Solution

       Réponse: _____

    c) si on triple la distance entre les objets tout en doublant la masse de chacun?

       Solution

       Réponse: _____

Les numéros 4 à 7 se rapportent aux données suivantes.
Vous débarquez sur une planète dont la masse est le triple de celle de la Terre et dont le diamètre en est le double.
Supposons que votre masse est de 50 kg.

4. Vous montez sur une balance. Qu'indiquera-t-elle?

       Réponse: _____

5. Quelle est l'intensité du champ gravitationnel à la surface de cette planète?

       Solution

       Réponse: _____

6. Quel est votre poids sur cette planète?

Solution

Réponse: _____

7. Quel serait votre poids à une altitude correspondant au double du rayon de cette planète?

Solution

Réponse: _____

8. À quelle altitude au-dessus de la surface de la Terre, votre poids ne serait-il que le tiers de sa valeur au sol?

Solution

Réponse: _____

9. À quelle distance de la Terre un vaisseau spatial subira-t-il une force d'attraction équivalente de la part de la Terre et de la Lune?

Solution

Réponse: _____

Nom: _____   Date: _____   Groupe: _____

Les questions 10 à 13 se rapportent aux données suivantes.
Une personne de 60 kg est debout sur un pèse-personne dans un ascenseur.
Le pèse-personne est gradué en kilogrammes.

10. L'ascenseur monte à une vitesse constante de 0,6 m/s.

a) Quel est le **poids** apparent de la personne?

Solution

Réponse: _____

b) Qu'indique le pèse-personne?

Solution

Réponse: _____

11. L'ascenseur accélère vers le haut au taux constant de 1,2 m/s^2.

a) Quel est le poids apparent de la personne?

Solution

Réponse: _____

b) Qu'indique le pèse-personne?

Solution

Réponse: _____

Nom: _____ Date: _____ Groupe: _____

12. L'ascenseur accélère vers le bas au taux constant de 1,2 m/s^2.

   a) Quel est le poids apparent de la personne?

   Solution

   Réponse: _____

   b) Qu'indique le pèse-personne?

   Solution

   Réponse: _____

13. Le câble se rompt (situation hautement improbable).

   a) Quel est le poids apparent de la personne pendant la descente? (Négligez les frottements.)

   Solution

   Réponse: _____

   b) Qu'indique le pèse-personne?

   Solution

   Réponse: _____

Nom: _____   **Date:** _____   **Groupe:** _____

14. Comment expliquez-vous l'état d'apesanteur des astronautes en orbite autour de la Terre compte tenu de leur faible altitude orbitale (≈ 400 km)?

Réponse:

15. Décrivez le mouvement théorique d'un objet que vous laisseriez tomber dans un trou hypothétiquement creusé dans l'axe polaire de la Terre et traversant complètement celle-ci.

Schéma explicatif

Nom: _____ Date: _____ Groupe: _____

LE FROTTEMENT

Nous savons que...

1. Le frottement est une force retardatrice exercée entre deux surfaces susceptibles de glisser l'une sur l'autre. Cette force est dirigée en sens _____ du mouvement actuel ou potentiel.

2. La force de frottement dépend de:

a) _____ ,

b) _____ .

3. Le frottement est indépendant de _____

_____ .

4. Dans le cas d'un objet sur une surface horizontale, le frottement est proportionnel au _____ de l'objet.

5. Dans le cas d'un objet freiné par le frottement et glissant à vitesse constante vers le bas d'un plan incliné à un angle θ de l'horizontale, la grandeur de la force de frottement est égale au poids du bloc multiplié par _____ .

Nom: _____ Date: _____ Groupe: _____

Observons

Le schéma ci-après montre une personne traînant un système de deux blocs identiques sur une surface horizontale. Dans l'agencement A, les blocs reposent tous deux sur le sol alors que dans l'agencement B, ils sont superposés.

A   B

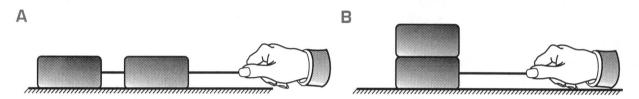

Comparez l'effort déployé par la personne dans les deux cas pour vaincre le frottement.

Nom: _____   **Date:** _____ **Groupe:** _____

Résolvons

Les questions 1 à 3 se rapportent aux données suivantes.
Un cube de pâte à modeler de 500 g se déplace à vitesse constante sur une surface horizontale sous l'action d'une force de 2,0 N.

1. Quelle est la grandeur de la force de frottement entre le mobile et la surface?

Solution

Réponse: _____

2. Quelle serait la grandeur du frottement si on transformait le cube en un parallélépipède deux fois plus long que large?

Solution

Réponse: _____

3. Quelle serait la grandeur du frottement si on superposait au cube un deuxième cube identique au premier?

Solution

Réponse: _____

Nom: _____ Date: _____ Groupe: _____

4. Une voiture de 1 300 kg est garée dans une rue en pente inclinée à 10° de l'horizontale. Calculez la grandeur de la force de frottement entre chacune des roues et le sol.

Solution

Réponse: _____

Les questions 5 et 6 se rapportent au schéma ci-dessous montrant un bloc de 5,00 kg pouvant se déplacer sur un plan incliné à inclinaison variable et muni d'une poulie.

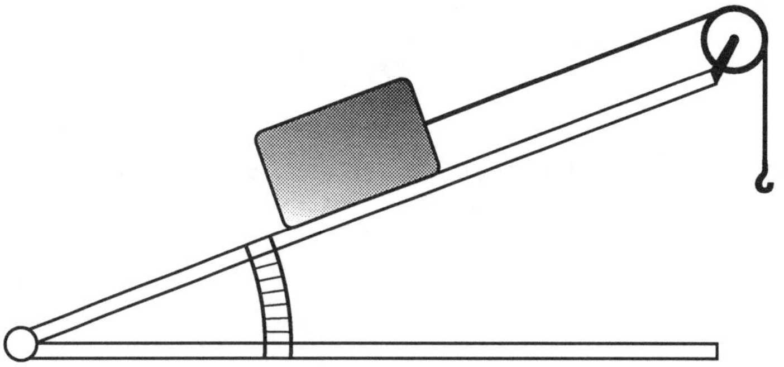

5. À quel angle le bloc glisse-t-il vers le bas du plan à vitesse constante si le frottement entre le bloc et le plan est de 17,0 N? Il n'y a aucune masse suspendue à la corde.

Solution

Réponse: _____

Nom: _____ **Date:** _____ **Groupe:** _____

6. On suspend à la corde une masse de 500 g et on ajuste le plan à 15,0°.
Quel est le frottement entre le plan et le bloc si ce dernier

a) descend à vitesse constante?

Solution

Réponse: _____

b) est accéléré vers le bas au taux constant de 1,00 m/s²?

Solution

Réponse: _____

Histoire, Technologie et Société

1. Le philosophe grec _____ soutenait qu'une force constante appliquée à un corps lui procurait une vitesse constante.

2. Plus tard, le physicien italien _____ en vint à la conclusion qu'un corps se déplace à vitesse constante lorsque la résultante des forces appliquées à ce corps est _____.

3. On nomme _____ cette propriété de la matière de tendre à conserver son état de repos ou de mouvement rectiligne uniforme.

4. En 1687, le physicien _____ intégra les conclusions de son prédécesseur florentin dans son œuvre intitulée _____.

5. On y retrouve la grande loi de la gravitation universelle. La démonstration de la relation de l'inverse du carré de la distance y est élaborée à partir des lois de l'astronome allemand _____.

6. Le physicien anglais _____ avait pressenti cette même loi mais sans pouvoir en assurer la démonstration mathématique.

Nom: _____   Date: _____   Groupe: _____

Les numéros 1 à 4 se rapportent à une masse de 5,0 kg à laquelle vous donnez une accélération de diverses façons.

Calculez l'accélération dans chacun des cas.

Négligez le frottement s'il n'en est pas fait mention.

1.

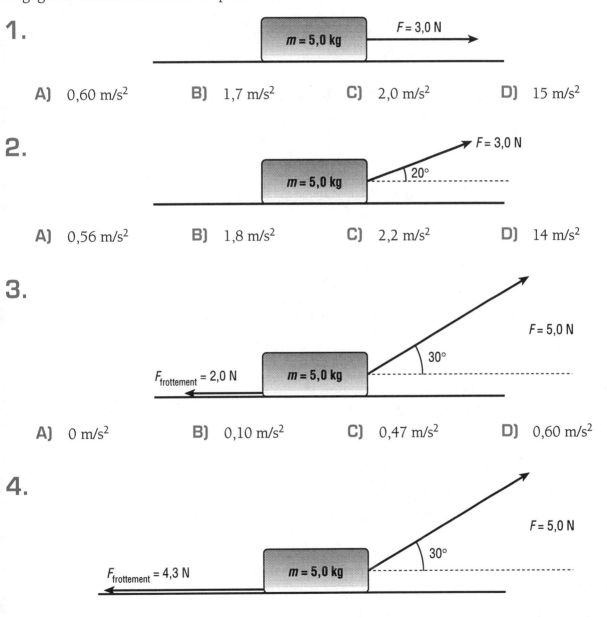

A) 0,60 m/s²	**B)** 1,7 m/s²	**C)** 2,0 m/s²	**D)** 15 m/s²

2.

A) 0,56 m/s²	**B)** 1,8 m/s²	**C)** 2,2 m/s²	**D)** 14 m/s²

3.

A) 0 m/s²	**B)** 0,10 m/s²	**C)** 0,47 m/s²	**D)** 0,60 m/s²

4.

A) 0 m/s²	**B)** 0,14 m/s²	**C)** 0,86 m/s²	**D)** 1,0 m/s²

Nom: _____ **Date:** _____ **Groupe:** _____

5. Une auto de course de 800 kg accélère uniformément à partir du repos et atteint une vitesse de 40 m/s en 5,0 s.
Le frottement moyen exercé sur l'auto est 1 000 N.

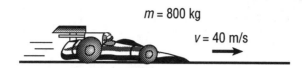

Calculez la grandeur de la force de traction entre les roues et le sol.

A) 1 000 N **B)** 5 400 N **C)** 6 400 N **D)** 7 400 N

6. Le graphique suivant représente la vitesse en fonction du temps d'un chariot de 3,0 kg en mouvement sur un plan incliné offrant un frottement négligeable.

VITESSE EN FONCTION DU TEMPS

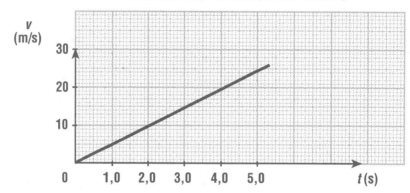

Quelle est la grandeur de la composante du poids dans la direction du plan incliné?

A) 0,6 N **B)** 10 N **C)** 15 N **D)** 29 N

Les questions 7 à 10 se rapportent aux données suivantes.
Deux blocs de 10 kg et 16 kg respectivement sont reliés par une corde et se déplacent horizontalement sous l'effet d'une force constante de 52 N.

7. Quelle est l'accélération de l'ensemble si le frottement entre les blocs et la surface portante est négligeable?

A) 0,5 m/s^2 **B)** 2 m/s^2 **C)** 4 m/s^2 **D)** 18 m/s^2

8. Quelle est la grandeur de la tension (T) dans la corde?

A) 5 N   **B)** 10 N   **C)** 20 N   **D)** 26 N

9. Quelle serait l'accélération de l'ensemble si la force motrice était maintenue à 52 N et si le frottement entre le bloc 1 et la surface était de 10 N?

A) 0,50 m/s^2 **B)** 0,83 m/s^2 **C)** 1,0 m/s^2 **D)** 1,6 m/s^2

10. Dans les conditions décrites à la question précédente, quelle serait la grandeur de la tension dans la corde?

A) 6 N   **B)** 10 N   **C)** 16 N   **D)** 26 N

11. Vous roulez à vélo sur une route droite et horizontale à une vitesse de 12 m/s. Vous cessez de pédaler et vous vous arrêtez au bout de 80 m.
Quelle fut la grandeur de la somme des résistances qui ont causé votre ralentissement si votre masse et celle de votre vélo totalisent 70 kg?

A) 63 N   **B)** 80 N   **C)** 126 N   **D)** 686 N

Les questions 12 et 13 se rapportent aux données suivantes.
Vous êtes dans un ascenseur de 900 kg qui est accéléré vers le haut à raison de 1,5 m/s^2.
Supposons que votre masse soit de 60 kg.

12. Quel est votre poids apparent durant l'accélération?

A) 498 N   **B)** 588 N   **C)** 678 N   **D)** 980 N

13. Quelle est la tension dans le câble qui soulève l'ascenseur?

A) $7,5 \times 10^3$ N   **B)** $8,0 \times 10^3$ N   **C)** $1,0 \times 10^4$ N   **D)** $1,1 \times 10^4$ N

14. Un bloc de 4,0 kg glisse vers le bas d'un plan incliné à 30° de l'horizontale.

Quelle est la grandeur de la force de frottement entre le bloc et le plan lorsque l'accélération est de 2,0 m/s^2?

A) 8 N   **B)** 12 N   **C)** 20 N   **D)** 28 N

105

Nom: _____   **Date:** _____   **Groupe:** _____

15. Une force F accélère un chariot à 2,0 m/s². Que devient l'accélération de ce chariot si on triple sa masse et si on utilise une force 2 F?

A) 1,0 m/s²   **B)** 1,3 m/s²   **C)** 3,0 m/s²   **D)** 12 m/s²

16. La tendance que possède un objet à garder son état de repos ou de mouvement lorsqu'aucune force ne lui est appliquée est appelée le principe d'inertie

A) de Galilée
B) de Hooke
C) de Newton
D) de Joule

17. Quel physicien expliqua le mouvement orbital des planètes par l'existence d'une force de gravitation?

A) Ptolémée
B) Aristote
C) Galilée
D) Newton

18. Lesquels des facteurs suivants ont une influence sur l'intensité du champ gravitationnel terrestre calculé sur la Lune?

I.   la masse de la Terre
II. le rayon de la Terre
III. la masse de la Lune
IV. la distance Terre-Lune

A) I et III seulement
B) II et III seulement
C) I et II seulement
D) I et IV seulement

19. Quel serait le poids d'une astronaute de 55 kg sur une planète ayant une masse cinq fois supérieure à celle de la Terre et le double du rayon terrestre?

A) 69 N   **B)** $1,4 \times 10^2$ N   **C)** $6,6 \times 10^2$ N   **D)** $1,3 \times 10^3$ N

20. Lequel, parmi les facteurs suivants, n'influence pas le frottement entre les surfaces en contact dans le cas d'un bloc reposant sur une table?

A) L'aire de la surface de contact
B) La nature des surfaces en contact
C) Le poids du bloc
D) La masse du bloc

Nom: _____   Date: _____   Groupe: _____

TRAVAIL, PUISSANCE ET MACHINES SIMPLES

OBJECTIF:

Choisir une machine simple pour effectuer un travail donné en se référant à ses qualités caractéristiques analysées en situation de laboratoire.

Dans cette unité:

SECTIONS	OBJECTIFS INTERMÉDIAIRES
Les machines simples	**5.1** Identifier, dans son environnement, des machines simples et des systèmes composés de machines simples.
	5.5 Utiliser ses savoirs sur le travail mécanique en solutionnant des problèmes, des exercices numériques et graphiques relatifs aux machines simples.
Le travail mécanique	**5.2** Caractériser, à l'aide de paramètres, le travail effectué par une machine simple pour déplacer un objet.
	5.5 (Voir le texte plus haut)
Le rendement d'une machine	**5.3** Justifier, à l'aide de résultats expérimentaux, le choix d'une machine simple pour effectuer un travail donné.
	5.5 (Voir le texte plus haut)
La puissance mécanique	**5.4** Justifier, à la suite d'une étude expérimentale, le choix d'une machine simple pour effectuer un travail donné dans un temps donné.
	5.5 (Voir le texte plus haut)

Histoire, Technologie et Société
Autoévaluation

Nous savons que...

1. On divise généralement les machines simples en cinq catégories:

_____ ,

_____ ,

_____ ,

_____ ,

_____ .

2. Comme l'illustre chacun des trois schémas suivants, il y a trois types de leviers.

A	B	C
Le levier _____	Le levier _____	Le levier _____

F_m représente la force motrice

F_r représente la force résistante

P représente le point d'appui

3. La roue peut être associée à un levier de type _____.

4. La vis peut être associée à un _____ enroulé autour d'un cylindre.

5. L'avantage mécanique d'une vis est _____

_____ .

Nom: _____ Date: _____ Groupe: _____

6. Deux moufles reliées entre elles forment un _____.

7. L'avantage mécanique d'une poulie fixe est _____.

8. L'avantage mécanique d'une poulie mobile est _____.

9. L'avantage mécanique d'un palan dont la moufle mobile compte 6 brins est _____.

10. Pour monter une charge de poids F_g le long d'un plan incliné de longueur l et de hauteur h, la force minimale à exercer est de _____.

Observez le dessin ci-après.

Identifiez d'une lettre sur le dessin trois machines simples puis complétez le tableau suivant:

MACHINES SIMPLES D'UN VÉLO

Lettre	Type de machine simple

Tracez sur le schéma les vecteurs de deux forces motrices (F_m) et des deux forces résistantes (F_r) correspondantes.

Nom: _____ **Date:** _____ **Groupe:** _____

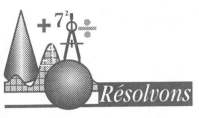

Résolvons

1. Vous faites contrepoids à votre petite sœur sur une balançoire. Votre sœur a une masse de 30 kg et est assise à 1,5 m du point d'appui. Si votre masse est de 55 kg, à quelle distance du point d'appui êtes-vous assis(e)? Complétez le schéma et tracez les vecteurs F_m et F_r.

Solution

Schéma

Réponse: _____

Les exercices 2 et 3 se rapportent aux données suivantes.

Vous supportez une masse de 1,0 kg dans votre main alors que votre bras est vertical et votre avant-bras horizontal. Le tendon de votre biceps et la masse supportée sont situés respectivement à 5,0 cm et à 30,0 cm de votre coude.

2. Quelle est la grandeur de la force appliquée par votre biceps? Complétez le schéma et tracez les vecteurs F_r et F_m.

Solution

Schéma

Réponse: _____

Nom: _____   **Date:** _____   **Groupe:** _____

3. Quelle force votre biceps devra-t-il exercer si vous étirez le bras de sorte que votre bras est à 45° alors que votre avant-bras demeure horizontal?

Dessinez le schéma et tracez les vecteurs F_r et F_m.

Solution

Schéma

Réponse: _____

4. Vous soulevez une masse de 5,0 kg à l'aide d'un treuil dont les rayons du tambour et de la manivelle sont respectivement de 8,0 cm et de 32,0 cm.

a) Quelle est la grandeur de la force minimale que vous devrez appliquer pour soulever la charge? Complétez le schéma et tracez les vecteurs F_r et F_m.

b) De quelle hauteur soulèverez-vous la charge à chaque tour de manivelle?

a) Solution

$m = 5,0 \text{ kg}$

Réponse: _____

b) **Solution**

Réponse: _____

5. On soulève une masse de 50 kg à l'aide d'un système comprenant une corde, une poulie fixée au plafond et une poulie mobile reliée à la charge.

   a) Quelle est la grandeur de la force motrice?
   Complétez le schéma et tracez les vecteurs F_r et F_m.

   b) De quelle hauteur la charge s'élève-t-elle si l'on déplace le point d'application de la force motrice de 1,5 m?

   a) **Solution**

Schéma

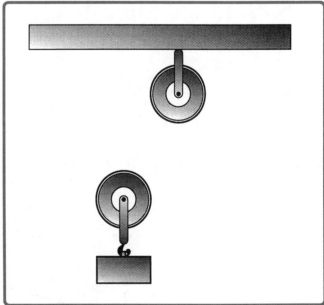

Réponse: _____

b) **Solution**

6. Vous déplacez une charge de 200 g le long d'un plan incliné à 20° de l'horizontale. Quelle force minimale devrez-vous appliquer?

Solution

Les questions 7 à 10 se rapportent au schéma suivant.

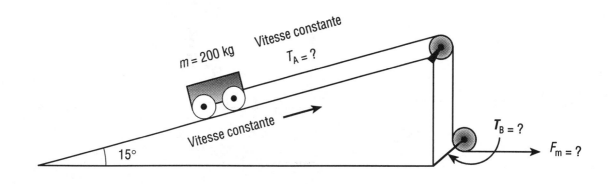

7. Que vaut la tension T_A?

Solution

$T_A =$ _____

8. Que vaut la tension T_B?

Solution

$T_B =$ _____

9. Quelle est la grandeur de la force motrice F_m?

Solution

$F_m =$ _____

10. Quel est l'avantage mécanique du système?

Solution

Avantage mécanique = _____

Nom: _____ Date: _____ Groupe: _____

LE TRAVAIL MÉCANIQUE

Nous savons que...

1. Le travail peut-être défini de façon conceptuelle comme étant la mesure d'un transfert d' _____ _____.

2. L'équation suivante illustre la définition opérationnelle du travail:

> [ ]

3. Le travail fourni pour soulever un objet est égal au produit du poids de cet objet par la _____ _____.

4. Le travail fourni pour soulever un objet est indépendant de la _____ décrite si on néglige les frottements.

5. On peut calculer la quantité de travail fournie pour soulever un objet en appliquant l'équation suivante:

> [ ]

Nom: _____ **Date:** _____ **Groupe:** _____

Observons

Le schéma suivant montre une charge de 400 kg que l'on monte à vitesse constante le long d'un plan incliné à 20° sur lequel le frottement est négligeable.

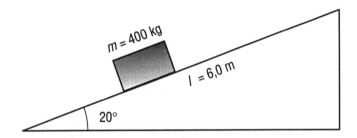

Indiquez à l'échelle sur le schéma:

a) Le vecteur poids de la charge

b) La composante du poids selon l'axe du déplacement

c) Le vecteur force appliquée (parallèle au plan incliné)

Quelle quantité de travail a-t-on effectuée?

Nom: _____ Date: _____ Groupe: _____

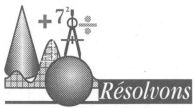

Résolvons

1. Quelle quantité de travail mécanique un oiseau de 0,50 kg doit-il effectuer pour atteindre, à partir du sol, une branche située à une hauteur de 3,0 m?

Solution

Réponse: _____

2. Quelle quantité de travail mécanique le cosmonaute américain Neil Armstrong a-t-il dû effectuer pour remonter, dans le module lunaire Eagle, un échantillon de roche de 2,5 kg? On suppose que l'habitacle du module était à 5,0 m du sol lunaire.

Solution

Réponse: _____

3. Un hamburger, spécialité d'un restaurant bien connu, pèse environ 1 N. Quelle quantité de travail mécanique devrez-vous effectuer pour le soulever de 20 cm?

Solution

Réponse: _____

Nom: _____   Date: _____   Groupe: _____

4. Quelle quantité de travail mécanique le moteur d'un ascenseur doit-il effectuer pour vous amener du rez-de-chaussée au cinquième étage, en supposant que votre masse est de 60 kg et que chaque étage est à 3,0 m du précédent?

Solution

Réponse: _____

5. Quelle quantité de travail l'ascenseur de l'exercice précédent devra-t-il effectuer pour vous ramener au rez-de-chaussée à partir du cinquième étage?

Solution

Réponse: _____

6. Vous tirez horizontalement un objet à vitesse constante sur une surface rugueuse en appliquant une force horizontale et constante de 3,0 N.
Quelle quantité de travail la force de frottement a-t-elle effectuée si le déplacement a été de 1,5 m?

Solution

Réponse: _____

7. Si la force appliquée à l'objet de l'exercice précédent avait été de 5,0 N, quelle quantité de travail aurait été effectuée contre l'inertie de l'objet?

Solution

Réponse: _____

8. Vous tirez un traîneau sur une surface horizontale à l'aide d'une corde faisant un angle de 40° avec l'horizontale. Quelle quantité de travail devrez-vous effectuer pour parcourir ainsi une distance de 200 m si la force que vous exercez est de 50 N?

Solution

Réponse: _____

Les exercices 9 et 10 se rapportent aux données suivantes.

Un remonte-pente vous amène au sommet d'une colline de 50 m de dénivellation en vous tirant, à vitesse constante, tel que le montre le schéma ci-dessous. Supposons que votre masse est de 55 kg.

9. Quelle quantité de travail le remonte-pente a-t-il effectuée contre la pesanteur?

Solution

Réponse: _____

10. Quelle quantité d'énergie potentielle gravitationnelle avez-vous acquise pendant la remontée?

Solution

Réponse: _____

LE RENDEMENT D'UNE MACHINE

Nous savons que...

1. Le rendement d'une machine peut être défini comme étant _____

_____

_____

2. Le fait d'augmenter la quantité d'énergie fournie à une machine augmente le _____

produit mais n'augmente pas son _____.

3. Le rendement d'une machine est toujours _____ à 100 %.

4. Carnot démontra que le rendement théorique d'une machine peut être calculé en appliquant l'équation:

5. Selon l'équation de Carnot, une machine idéale aurait un rendement de 100 % à condition que sa

température inférieure soit de _____.

Nom: _____ Date: _____ Groupe: _____

Observons

Le schéma suivant montre de façon très simplifiée une turbine à vapeur.

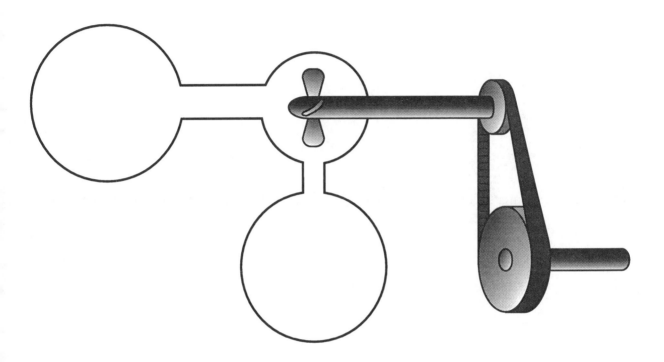

1. Identifiez sur le schéma:

    a) le réservoir chaud et le réservoir froid.
    b) le sens de l'écoulement de la vapeur.
    c) le sens de rotation des diverses pièces mobiles de la machine.

Nom: _____   Date: _____   Groupe: _____

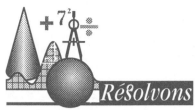

Résolvons

1. Vous fournissez à un moteur d'auto 5 000 J d'énergie chimique.
Quelle quantité de travail le moteur sera-t-il en mesure d'effectuer si son rendement est de 30 %?

Solution

Réponse: _____

2. Quel est le rendement d'un moteur auquel il faut fournir 20 kJ d'énergie pour obtenir un travail de 15 kJ?

Solution

Réponse: _____

3. Quel est le rendement théorique de votre «machine biologique» sachant que votre température interne est de 37 °C et que vous évoluez dans un environnement à 22 °C?

Solution

Réponse: _____

Nom: _____ Date: _____ Groupe: _____

Les exercices 4 et 5 se rapportent à la machine illustrée ci-dessous.

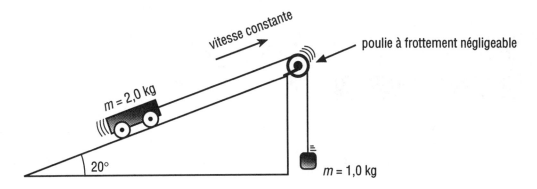

4. Quel est le rendement de cette machine si la masse de 1,0 kg réussit tout juste à soulever le chariot à vitesse constante?

Solution

Réponse: _____

5. Quelle est la grandeur du frottement total entre les roues du chariot et le plan incliné?

Solution

Réponse: _____

Nom: _____ **Date:** _____ **Groupe:** _____

LA PUISSANCE MÉCANIQUE

Nous savons que...

1. La puissance d'un système est le quotient du _____ par _____

_____ .

2. On exprime la puissance en _____ en l'honneur de l'ingénieur écossais

_____ .

3. Une machine qui effectue trois fois plus de travail qu'une autre dans un temps deux fois plus court a

une puissance _____ fois plus _____ que cette dernière.

4. La puissance est reliée à la vitesse par l'équation:

Nom: _____ Date: _____ Groupe: _____

Observons

Le schéma suivant montre deux moteurs électriques servant à soulever des charges.

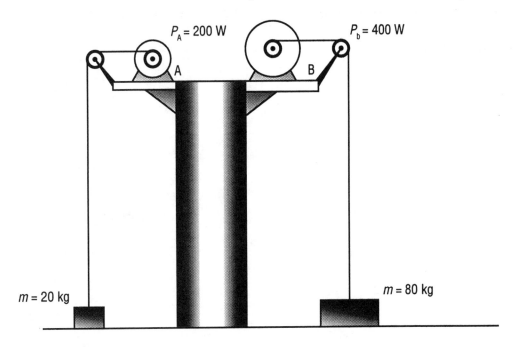

1. Lequel des deux moteurs doit effectuer le plus grand travail?

2. Lequel des deux moteurs mettra le plus de temps à soulever sa charge?

Nom: _____ Date: _____ Groupe: _____

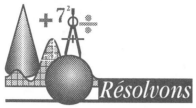

Résolvons

Les exercices 1 et 2 se rapportent aux données suivantes.
Un haltérophile soulève une masse de 100 kg d'une hauteur de 2,2 m en 10 s.

1. Quelle quantité de travail a-t-il effectuée?

Solution

Réponse: _____

2. Quelle puissance a-t-il développée?

Solution

Réponse: _____

3. Quelle quantité d'énergie une ampoule de 100 W transforme-t-elle en une heure?

Solution

Réponse: _____

Nom: _____   Date: _____   Groupe: _____

4. Vous désirez soulever des masses de 200 kg d'une hauteur de 12 m à l'aide d'un treuil mu par un moteur électrique.
Quelle devra être la puissance de votre moteur si vous désirez soulever les charges en 30 s?

Solution

Réponse: _____

5. Quelle force un moteur d'automobile de $9,0 \times 10^4$ W (121 hp) transmet-il aux roues pour la maintenir à une vitesse de 72 km/h?

Solution

Réponse: _____

Nom: _____ Date: _____ Groupe: _____

Histoire, Technologie et Société

1. Qui a dit: «Donnez-moi un point d'appui et je soulèverai le monde»? _____

Nommez deux branches de la physique qui, outre la mécanique, retinrent l'attention de ce savant.

_____

Dans quelle ville est-il né et a-t-il été tué? _____

2. Quel créateur italien du XVe siècle s'intéressa particulièrement aux machines? _____

Nommez trois de ses inventions les plus célèbres.

_____

_____

_____

Nommez une de ses toiles les plus célèbres.

_____

Dans quel village est-il né? _____

3. Quel ingénieur mit au point la première machine à vapeur d'utilité industrielle? _____

_____

À quelle université travaillait-il? _____

Nom: _____ Date: _____ Groupe: _____

4. Que démontra l'ingénieur français Carnot à propos du rendement d'une machine à vapeur?

_____

_____

_____

5. Nommez une application technologique associée à chacune des cinq machines simples.

MACHINES ET SOCIÉTÉ

Machine	Application technologique

Les questions 1 à 3 se rapportent aux données suivantes.
Vous soulevez une pierre de 120 kg à l'aide du levier illustré ci-après.

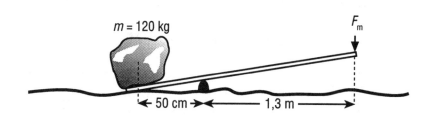

1. De quel type de levier s'agit-il?

A) interappui **B)** interrésistant **C)** intereffort **D)** intermédiaire

2. Quelle est la grandeur de la force motrice (F_m)?

A) 46 N **B)** $3,1 \times 10^2$ N **C)** $4,5 \times 10^2$ N **D)** $6,6 \times 10^3$ N

3. Quel est l'avantage mécanique de ce levier?

A) 0,65 **B)** 2,6 **C)** 3,6 **D)** 4,0

Les questions 4 à 6 se rapportent aux données suivantes.
Vous transportez une charge dans la brouette illustrée ci-dessous. Négligez la masse de la brouette.

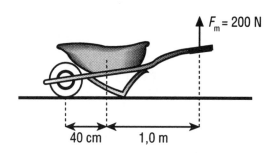

4. Quel type de levier utilisez-vous?

A) interappui **B)** interrésistant **C)** intereffort **D)** intermodal

5. Quelle charge pourrez-vous soulever en exerçant une force motrice de 200 N?

A) 51 kg **B)** 71 kg **C)** 500 kg **D)** 700 kg

132

Nom: _____ Date: _____ Groupe: _____

6. Quel est l'avantage mécanique de ce levier?

A) 0,29 **B)** 0,40 **C)** 2,5 **D)** 3,5

Les questions 7 et 8 se rapportent aux données suivantes.
Vous soulevez une charge de 100 kg à l'aide d'un treuil dont le tambour a un diamètre de 20 cm et la manivelle, un rayon de 50 cm.

7. Quelle force devrez-vous déployer pour monter la charge à vitesse constante?

A) 20 N **B)** 40 N **C)** $2,0 \times 10^2$ N **D)** $4,0 \times 10^2$ N

8. De quelle hauteur soulèverez-vous la charge à chaque tour de manivelle?

A) 3,1 cm **B)** 63 cm **C)** 1,3 m **D)** 3,1 m

9. Quel est l'avantage mécanique d'un plan incliné à 15° de l'horizontale?

A) 0,26 **B)** 3,0 **C)** 3,9 **D)** 15

Les questions 10 à 13 se rapportent aux données suivantes.
Vous soulevez une masse de 100 kg à l'aide du palan ci-contre.

10. Quel est l'avantage mécanique du palan?

A) 3 **B)** 4
C) 10 **D)** 100

11. De quelle hauteur s'élèvera la charge si vous déplacez le point d'application de la force motrice de 2,0 m?

A) 20 cm **B)** 40 cm
C) 50 cm **D)** 67 cm

$F = 200$ N

$m = ?$

12. Quelle charge (kg) pourrez-vous soulever en appliquant une force motrice de 200 N?

A) 61 kg **B)** 122 kg
C) 600 kg **D)** 800 kg

13. Quelle quantité de travail devrez-vous fournir pour soulever la charge dans les conditions décrites à la question 11?

A) 100 J **B)** 133 J **C)** 400 J **D)** 600 J

Nom: _____ **Date:** _____ **Groupe:** _____

14. Vous déplacez horizontalement, sur une distance de 200 m, un traîneau de 12 kg en lui appliquant une force de 50 N par l'entremise d'une corde faisant un angle de 30° avec l'horizontale. Quelle quantité de travail fournissez-vous?

A) $2,4 \times 10^3$ J
B) $8,7 \times 10^3$ J
C) $1,0 \times 10^4$ J
D) $2,4 \times 10^4$ J

15. Un touriste décide d'escalader une pyramide selon les deux trajets illustrés ci-contre. Le trajet A longe l'arête alors que le trajet B part du centre d'un des côtés. Si W_A représente le travail effectué par le touriste contre la pesanteur selon le trajet A et W_B, selon le trajet B, quel est le rapport W_A/W_B?

A) 0,87
B) 1,0
C) 1,2
D) 2,0

16. Quelle quantité de travail un remonte-pente doit-il fournir contre la pesanteur pour vous amener au sommet d'une montagne dont la dénivellation est de 700 m si votre masse totale (incluant votre équipement) est de 65 kg? L'inclinaison moyenne de la pente est de 20°.

A) $2,3 \times 10^3$ J
B) $6,4 \times 10^3$ J
C) $4,6 \times 10^4$ J
D) $4,5 \times 10^5$ J

17. Le rendement d'un moteur est le quotient

A) du travail effectué par l'énergie consommée.
B) de la puissance par le travail effectué.
C) du travail effectué par la puissance.
D) de l'énergie consommée par le travail effectué.

18. Quel scientifique a démontré que le rendement théorique d'une machine à vapeur était nécessairement inférieur à 100 %?

A) Joule
B) Rumford
C) Watt
D) Carnot

19. Quelle force un moteur d'automobile de 120 hp ($9,0 \times 10^4$ W) doit-il transmettre aux roues pour maintenir une vitesse de 20 m/s?

A) $4,5 \times 10^3$ N
B) $9,0 \times 10^3$ N
C) $1,8 \times 10^4$ N
D) $1,8 \times 10^6$ N

20. Quelle puissance le moteur d'un ascenseur de 800 kg doit-il développer pour le faire monter de 10 étages (30 m) en une minute?

A) $4,0 \times 10^2$ W
B) $3,9 \times 10^3$ W
C) $2,4 \times 10^4$ W
D) $2,3 \times 10^5$ W

Nom: _____ Date: _____ Groupe: _____

UNITÉ

6

L'ÉNERGIE MÉCANIQUE

OBJECTIF:

Démontrer que, dans toute transformation d'énergie mécanique, il y a production de travail.

Dans cette unité:

SECTIONS	OBJECTIFS INTERMÉDIAIRES
L'énergie potentielle gravitationnelle	**6.1** Associer l'énergie potentielle gravitationnelle acquise par un objet à un travail mécanique.
	6.7 Utiliser ses savoirs sur le travail et l'énergie mécanique en solutionnant des problèmes, des exercices numériques et graphiques relatifs à des transformations d'énergie.
L'énergie cinétique	**6.2** Caractériser, à la suite d'une expérience, l'énergie d'un objet en mouvement, à l'aide de ses paramètres analysés en laboratoire.
	6.7 (Voir le texte plus haut)
La conservation de l'énergie	**6.4** Analyser, à la suite de mesures et de calculs, une transformation d'énergie mécanique.
	6.7 (Voir le texte plus haut)
Travail et énergie thermique	**6.5** Associer, à la suite d'une expérience dont le protocole est proposé, l'élévation de la température produite dans une transformation d'énergie à un travail mécanique.
	6.7 (Voir le texte plus haut)

Histoire, Technologie et Société
Autoévaluation

135

L'ÉNERGIE POTENTIELLE GRAVITATIONNELLE

Nous savons que...

1. L'énergie potentielle gravitationnelle d'un corps est due à sa _____ par rapport à un niveau de _____ dans un champ _____.

2. On symbolise l'énergie potentielle gravitationnelle par _____ et on l'exprime en _____.

3. Les trois facteurs qui déterminent la quantité d'énergie potentielle gravitationnelle d'un objet sont:

   _____ ,

   _____ ,

   _____ .

4. Ces trois facteurs sont reliés à l'énergie par l'équation suivante:

   ┌─────────────────────────────────────┐
   │   │
   │   │
   └─────────────────────────────────────┘

5. Deux objets identiques ont des quantités d'énergie potentielle différentes à condition qu'ils

   _____ .

6. Si on double la masse d'un corps tout en diminuant sa hauteur de moitié, son énergie potentielle gravitationnelle _____.

7. L'énergie potentielle gravitationnelle est mise à profit dans la production d'électricité dans le cas d'une centrale _____.

Nom: _____ Date: _____ Groupe: _____

Observons

Trois ouvriers transportent des charges identiques sur le toit d'un édifice en s'y prenant de trois manières différentes.

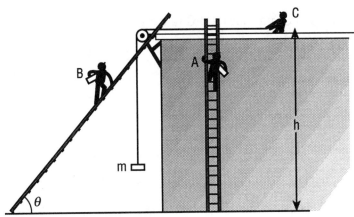

a) Comparez la quantité de travail mécanique effectuée par chacun d'eux pour amener la charge sur le toit. (Négligez le frottement.)

A _____

B _____

C _____

b) Comparez la quantité d'énergie potentielle gravitationnelle acquise par chacune des charges.

_____

_____

_____

Nom: _____ Date: _____ Groupe: _____

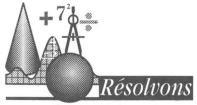

Résolvons

Calculez la quantité d'énergie potentielle gravitationnelle emmagasinée dans les quatre objets suivants (numéros 1 à 4).

1. Une brique de 1,5 kg sur un échafaudage à 4,0 m du sol.

Solution

Réponse: _____

2. Un oiseau de 500 g volant à une vitesse de 8,0 m/s à une altitude de 30 m.

Solution

Réponse: _____

3. Un astronaute de 75 kg dans un vaisseau spatial à 100 m d'altitude à la surface de Mars.

Solution

Réponse: _____

Nom: _____ Date: _____ Groupe: _____

4. Une balle de 200 g à son apogée après avoir été lancée verticalement à une vitesse de 30 m/s.

Solution

Réponse: _____

5. Quelle est la perte d'énergie potentielle gravitationnelle d'un avion de $1,0 \times 10^4$ kg qui se pose sur une piste après avoir volé à une altitude de $6,0 \times 10^3$ m?

Solution

Réponse: _____

6. Quelle quantité de travail les moteurs avaient-ils fournie pour porter l'avion de l'exercice précédent du sol jusqu'à cette altitude?

Solution

Réponse: _____

Nom: _____ **Date:** _____ **Groupe:** _____

L'ÉNERGIE CINÉTIQUE

Nous savons que...

1. L'énergie cinétique est celle qui possède un objet lorsqu'il est en _____

_____.

2. L'énergie cinétique d'un objet est proportionnelle à sa _____ et au

_____ de sa vitesse.

3. Si on triple la vitesse d'un objet, son énergie cinétique devient _____.

4. Si on double la masse d'un objet **au repos**, son énergie cinétique demeure _____.

5. On symbolise l'énergie cinétique par _____ et on l'exprime en _____.

6. L'équation qui permet de calculer la quantité d'énergie cinétique d'un objet est:

Nom: _____ Date: _____ Groupe: _____

Observons

Le schéma suivant montre une scène de tir à l'arc.

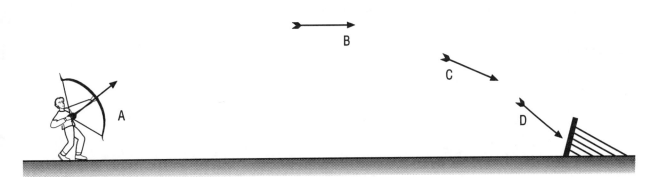

À quel endroit l'énergie cinétique de la flèche sera-t-elle maximale? Négligez le frottement.

Précisez votre réponse.

Nom: _____ **Date:** _____ **Groupe:** _____

Résolvons

Calculez la quantité d'énergie cinétique emmagasinée dans les trois objets suivants (numéros 1 à 3).

1. Un chariot de laboratoire de 1,4 kg se déplaçant à une vitesse de 2,0 m/s.

Solution

Réponse: _____

2. Une balle de baseball de 145 g lancée à une vitesse de 25 m/s.

Solution

Réponse: _____

3. Une moto de 400 kg roulant à 100 km/h (28 m/s).

Solution

Réponse: _____

Nom: _____ Date: _____ Groupe: _____

4. Un sprinter de 78 kg part du repos, parcourt 20 m avec une accélération constante de 3,0 m/s², puis continue à vitesse constante jusqu'au fil d'arrivée. Quelle quantité d'énergie cinétique possède-t-il au fil d'arrivée?

Solution

Réponse: _____

Les questions 5 à 7 se rapportent aux données suivantes.
Un véhicule de 1 400 kg roule à 25 m/s sur une route droite et horizontale. Le conducteur applique les freins et immobilise le véhicule.

5. Quelle est la perte d'énergie cinétique du véhicule?

Solution

Réponse: _____

6. Quelle quantité de travail la force totale de freinage a-t-elle effectuée?

Solution

Réponse: _____

7. Quelle est la grandeur de la force totale de freinage si le véhicule s'est arrêté en 50 m?

Solution

Réponse: _____

Nom: _____ Date: _____ Groupe: _____

Les questions 8 à 10 se rapportent aux données suivantes.
Une rondelle de hockey de 168 g est lancée vers le gardien à une vitesse de 20 m/s.

8. Quelle est la quantité d'énergie cinétique emmagasinée dans la rondelle?

Solution

Réponse: _____

9. Quelle quantité de travail le joueur a-t-il fournie pour effectuer son lancer?

Solution

Réponse: _____

10. Si le gardien arrête la rondelle avec la main en lui opposant une force constante de 70 N, quelle est la distance de recul de son gant?

Solution

Réponse: _____

Nom: _____ Date: _____ Groupe: _____

LA CONSERVATION DE L'ÉNERGIE

Nous savons que...

1. Dans un système isolé, la quantité totale d'énergie _____.

2. Lors de la chute d'un objet dans le vide, une diminution d'énergie potentielle gravitationnelle se traduit

par un gain équivalent _____.

3. Si on néglige les frottements, une voiture remontant une côte sur sa lancée s'arrêtera lorsque toute son

énergie _____ se sera transformée en énergie _____.

4. Si vous descendez une côte à vélo à vitesse constante, l'énergie potentielle gravitationnelle perdue s'est

transformée en énergie _____.

5. Dans le cas d'un chariot de montagnes russes, l'énergie _____ est maximale au bas

de la trajectoire alors que l'énergie _____ est maximale au sommet de la trajectoire.

La différence entre ces deux quantités d'énergie représente le gain d'énergie _____

engendrée par les forces de _____.

Nom: _____ **Date:** _____ **Groupe:** _____

Le schéma suivant représente un chariot de 20 kg qui se déplace à vitesse constante vers le haut sur un plan incliné à 30° de l'horizontale.

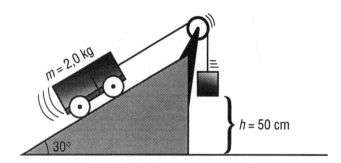

Comparez le gain d'énergie du chariot à la perte d'énergie de la masse suspendue. Négligez les frottements.

Quel est le bilan énergétique global du système?

Nom: _____   Date: _____   Groupe: _____

Les questions 1 à 8 se rapportent aux données suivantes.

Vous fabriquez un pendule simple à l'aide d'une corde de 1,5 m de longueur et d'une masse de 500 g.
Vous soulevez la masse du pendule de 30 cm et vous laissez osciller. Négligez les frottements.

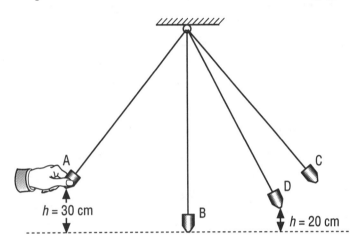

1. Quelle quantité de travail mécanique avez-vous fournie pour soulever la masse?

Solution

Réponse: _____

2. Quelle est la quantité d'énergie emmagasinée dans le pendule?

Solution

Réponse: _____

Nom: _____   **Date:** _____   **Groupe:** _____

3. Identifiez les types d'énergie présents à chaque point identifié de la trajectoire du pendule.

LES ÉNERGIES D'UN PENDULE SIMPLE

Point	Types d'énergie
A	
B	
C	
D	

4. Quelle est idéalement la quantité d'énergie potentielle gravitationnelle du pendule au point C?

Solution

Réponse: _____

5. Quelle est la quantité d'énergie cinétique du pendule au point B?

Solution

Réponse: _____

Nom: _____ **Date:** _____ **Groupe:** _____

6. Quelle est la vitesse du pendule au point B?

Solution

Réponse: _____

7. Quelle est la quantité d'énergie cinétique au point D? ($h = 20$ cm)

Solution

Réponse: _____

8. Quelle est la vitesse du pendule au point D?

Solution

Réponse: _____

Nom: _____ Date: _____ Groupe: _____

9. Vous roulez à vélo sur une route droite et horizontale à une vitesse de 15 m/s. Vous cessez de pédaler et vous montez sur votre lancée une côte inclinée à 12° de l'horizontale. Quelle distance aurez-vous parcourue lorsque vous vous arrêterez? Négligez les frottements.

Solution

Réponse: _____

10. À la fin d'une descente, une skieuse de 50 kg, filant à 20 m/s, freine brusquement et s'arrête sur une distance de 10 m.
Quelle a été la grandeur de la force moyenne de frottement?

Solution

Réponse: _____

Nom: _____ Date: _____ Groupe: _____

Les questions 11 à 15 se rapportent aux données suivantes.

Un manège en forme de spirale a un diamètre de 20 m. Le train a une masse de 1 200 kg et amorce sa descente à partir d'une hauteur de 30 m (point A). Négligez les frottements.

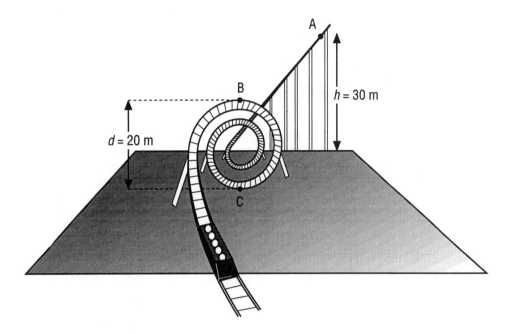

11. Quelle est l'énergie potentielle gravitationnelle du train au point A?

Solution

Réponse: _____

12. Quelle est l'énergie totale du train au sommet d'une boucle (point B)?

Solution

Réponse: _____

Nom: _____ **Date:** _____ **Groupe:** _____

13. Quelle est l'énergie cinétique du train au point B?

Solution

Réponse: _____

14. Quelle est l'énergie cinétique du train au niveau du sol (point C)?

Solution

Réponse: _____

15. Quelle est la vitesse maximale du train?

Solution

Réponse: _____

Nom: _____ **Date:** _____ **Groupe:** _____

Les questions 16 à 20 se rapportent aux données suivantes.

Vous faites glisser une bille de 100 g, à partir du repos, sur une rampe de lancement haute de 10 cm. La bille roule ensuite sur une table rugueuse qui exerce une force moyenne de frottement de 0,02 N sur une distance de 60 cm.

La table est à 75 cm du plancher.

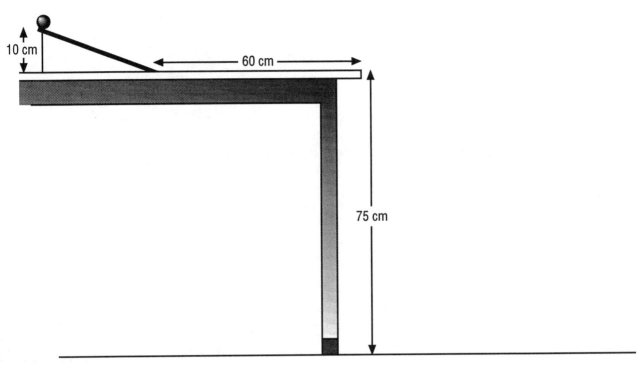

16. Quelle est l'énergie potentielle gravitationnelle de la bille au sommet de la rampe de lancement par rapport à la surface de la table?

Solution

Réponse: _____

Nom: _____ **Date:** _____ **Groupe:** _____

17. Quelle est l'énergie cinétique de la bille au bas de la rampe de lancement? Négligez le frottement.

Solution

Réponse: _____

18. Quelle est la quantité de chaleur produite par le frottement entre la bille et la table?

Solution

Réponse: _____

19. Quelle est la vitesse de la bille au moment où elle quitte la table?

Solution

Réponse: _____

20. À quelle distance de la table la bille touchera-t-elle le plancher?

Solution

Réponse: _____

TRAVAIL ET ÉNERGIE THERMIQUE

Nous savons que...

1. L'énergie interne d'un corps, associée au mouvement de ses particules, est l'énergie _____

_____.

2. La chaleur est un transfert d'_____.

3. La _____ est une mesure de l'état d'agitation thermique d'un corps.

4. Deux corps de même substance, ayant reçu la même quantité de chaleur, ne seront pas à la même

température si leurs _____ sont différentes.

5. On symbolise l'énergie thermique par la lettre _____ et on l'exprime en _____.

6. La quantité de chaleur qu'il faut fournir à 1 kg d'un corps pour augmenter sa température de 1 K est

sa _____.

7. L'équation qui permet de calculer la quantité de chaleur absorbée ou dégagée par un corps est:

Nom: _____ Date: _____ Groupe: _____

Le schéma représente d'une façon très simplifiée l'appareil que Joule utilisa pour démontrer l'équivalence entre la chaleur et l'énergie mécanique.

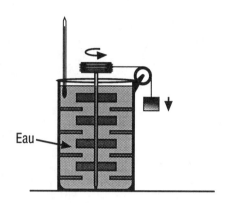

Eau

La chute de la masse entraîne la rotation des pales. L'agitation de l'eau provoque l'augmentation de sa température.

Montrez comment vous pourriez, à partir de ce montage, évaluer la chaleur massique de l'eau.

(Supposez que toute la chaleur produite n'est absorbée que par l'eau.)

Nom: _____ Date: _____ Groupe: _____

Résolvons

Les questions 1 à 4 se rapportent aux données suivantes.

Un bloc de 3,0 kg, relié à une masse de 500 g, parcourt 1,5 m à une vitesse constante sur une table rugueuse.

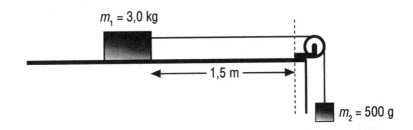

1. Quelle est la grandeur de la force de frottement entre le bloc et la table?

Solution

Réponse: _____

2. Quelle quantité de travail la force de frottement produit-elle?

Solution

Réponse: _____

3. Quelle quantité de chaleur est dégagée à la suite de ce frottement?

Solution

Réponse: _____

157

4. Quelle est la perte d'énergie potentielle de la masse suspendue?

Solution

Réponse: _____

Les questions 5 à 7 se rapportent aux données suivantes.
Un bloc de 5,0 kg glisse d'une hauteur de 80 cm à une vitesse constante le long d'un plan incliné à 20° de l'horizontale.

5. Quelle est la grandeur de la force de frottement entre le bloc et le plan?

Solution

Réponse: _____

6. Quel est le travail effectué par la force de frottement?

Solution

Réponse: _____

Nom: _____ Date: _____ Groupe: _____

7.

Quelle est la perte d'énergie potentielle gravitationnelle du bloc?

Solution

Réponse: _____

Les questions 8 à 10 se rapportent aux données suivantes.

Dans le but de vérifier l'hypothèse de Joule, vous avez imaginé le montage suivant. Un contenant métallique rempli d'eau repose sur un disque rugueux actionné par un moteur électrique.

Le centre du contenant est à 15 cm du centre du disque et celui-ci tourne à une fréquence de 2,0 Hz. Le frottement entre le disque et le contenant est de 0,50 N. Vous avez versé 100 ml d'eau dans le contenant.

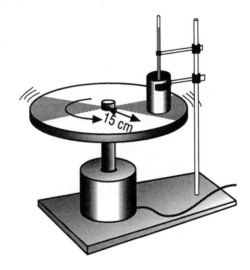

8.

Quelle est la quantité de chaleur engendrée par le frottement pendant une minute?

Solution

Réponse: _____

Nom: _____ **Date:** _____ **Groupe:** _____

9. Quelle est la quantité d'énergie électrique consommée, en supposant que le moteur a un rendement de 80 %?

Solution

Réponse: _____

10. Quelle est l'élévation de la température de l'eau si on suppose que seule l'eau a absorbé la chaleur produite?

Solution

Réponse: _____

Histoire, Technologie et Société

1. Quel scientifique anglais proposa pour la première fois, au début du XIXᵉ siècle, l'emploi du mot énergie pour décrire «ce qui est conservé» lors d'une interaction élastique?

_____

2. Nommez deux termes qu'on utilisait au XVIIᵉ et XVIIIᵉ siècles pour nommer le concept d'énergie.

_____

_____

3. Quel physicien allemand énonça pour la première fois le principe de la conservation de l'énergie?

_____

4. Quelle hypothèse concernant la chaleur le physicien anglais James Prescott Joule réussit-il à démontrer?

_____

_____

5. Que démontra l'ingénieur français Carnot à propos du rendement théorique d'une machine à vapeur?

_____

_____

6. Nommez trois technologies qui font appel à une transformation d'énergie électrique en énergie thermique.

_____

_____

_____

7. Nommez au moins un cas où la production de chaleur par frottement est bénéfique.

_____

8. Nommez au moins un cas où la production de chaleur par frottement est nuisible.

_____

Nom: _____ Date: _____ Groupe: _____

1. Quelle quantité d'énergie potentielle acquiert un ballon de 400 g que l'on soulève de 1,2 m?

A) 0,48 J   **B)** 4,7 J   **C)** 480 J   **D)** 4 700 J

2. Quels paramètres devons-nous connaître pour calculer l'énergie potentielle gravitationnelle, par rapport au plancher, d'un chariot placé sur une table?

A) La hauteur de la table et la masse du chariot
B) La masse et la hauteur de la table
C) Le poids du chariot et la hauteur de la table
D) La masse du chariot et l'intensité du champ gravitationnel à cet endroit

3. Que faut-il faire pour augmenter l'énergie potentielle gravitationnelle d'un cerf-volant?

A) Le déplacer horizontalement dans les airs
B) Le laisser monter plus haut dans les airs
C) Le faire descendre rapidement
D) Le faire descendre lentement

Les questions 4 et 5 se rapportent aux données suivantes.
Une voiture de 1 400 kg, partant du repos, roule à une vitesse de 20 m/s après avoir parcouru 800 m.

4. Calculez l'énergie cinétique de la voiture lorsqu'elle roule à cette vitesse.

A) 0 J   **B)** $1,4 \times 10^4$ J   **C)** $2,8 \times 10^4$ J   **D)** $2,8 \times 10^5$ J

5. Quel travail le moteur a-t-il effectué pendant ces 800 m pour lui faire atteindre cette vitesse?

A) 0 J   **B)** $1,4 \times 10^4$ J   **C)** $2,8 \times 10^4$ J   **D)** $2,8 \times 10^5$ J

Nom: _____   Date: _____   Groupe: _____

Les questions 6 à 12 se rapportent à la situation suivante.
Un bloc de 1,0 kg est retenu en haut d'un plan incliné à 30° et de 2,0 m de longueur installé sur une table de laboratoire. Par la suite, on le laisse descendre.

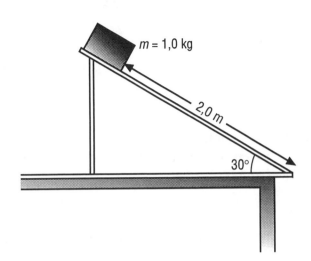

6. Quelle est l'énergie potentielle gravitationnelle du bloc, par rapport à la surface de la table, lorsqu'il est retenu en haut du plan incliné?

   A) 0 J   **B)** 2,0 J   **C)** 9,8 J   **D)** 20 J

7. Quelle est l'énergie potentielle gravitationnelle du bloc, par rapport à la surface de la table, lorsqu'il est rendu au bas du plan incliné?

   A) 0 J   **B)** 2,0 J   **C)** 9,8 J   **D)** 20 J

8. Quelle est l'énergie cinétique du bloc lorsqu'il atteint le bas du plan incliné si l'on néglige le frottement?

   A) 0 J   **B)** 2,0 J   **C)** 9,8 J   **D)** 20 J

9. Quelle est la vitesse du bloc lorsqu'il atteint le bas du plan incliné et que l'on néglige le frottement?

   A) 1,4 m/s   **B)** 4,4 m/s   **C)** 6,7 m/s   **D)** 9,8 m/s

10. Si la vitesse du bloc au bas du plan incliné était de 0,40 m/s, quelle serait alors l'énergie cinétique du bloc?

    A) 0,08 J   **B)** 0,16 J   **C)** 0,20 J   **D)** 0,40 J

Nom: _____   Date: _____   Groupe: _____

11. Calculez le travail fait par la force de frottement si la vitesse au bas du plan est de 0,40 m/s.

A) 0,40 J   B) 9,7 J   C) 12 J   D) 16 J

12. Quelle est la grandeur de la force de frottement?

A) 0,40 N   B) 4,9 N   C) 6,0 N   D) 8,0 N

Les questions 13 et 14 se rapportent aux données suivantes.
Vous lancez une balle de 145 g verticalement vers le haut avec une vitesse initiale de 20 m/s. La balle monte jusqu'à une hauteur de 12 m puis retombe.

13. Quelle est la quantité d'énergie mécanique transformée en chaleur durant l'ascension de la balle?

A) 12 J   B) 17 J   C) 20 J   D) 29 J

14. Quelle est la valeur de la résistance moyenne de l'air sur la balle?

A) 1,0 N   B) 1,4 N   C) 1,7 N   D) 2,4 N

Les questions 15 et 16 se rapportent à la situation suivante.
Un petit avion de 1 500 kg se pose sur une piste à une vitesse de 30 m/s.

15. Quelle quantité d'énergie mécanique l'avion a-t-il perdue lorsqu'il s'arrête en bout de piste?

A) $2,3 \times 10^4$ J   B) $4,5 \times 10^4$ J   C) $6,8 \times 10^5$ J   D) $1,4 \times 10^6$ J

16. Quelle fut sa distance de freinage si les freins lui procurent une force de 3 000 N?

A) $1,5 \times 10^1$ m   B) $4,5 \times 10^1$ m   C) $9,0 \times 10^1$ m   D) $2,3 \times 10^2$ m

Nom: _____   Date: _____   Groupe: _____

Les questions 17 et 18 se rapportent aux données suivantes.
Un parachutiste de 70 kg saute d'une altitude de 2 000 m.

17. Quel travail le moteur de l'avion a-t-il fourni pour porter le parachutiste à cette altitude?

A) $7,0 \times 10^1$ J   **B)** $1,4 \times 10^5$ J   **C)** $1,4 \times 10^6$ J   **D)** $9,8 \times 10^6$ J

18. Quelle quantité d'énergie thermique le frottement de l'air a-t-il générée si le parachutiste descend à une vitesse constante de 2,0 m/s?

A) $7,0 \times 10^1$ J   **B)** $1,4 \times 10^5$ J   **C)** $1,4 \times 10^6$ J   **D)** $9,8 \times 10^6$ J

19. Vous versez cinq litres d'eau dans un bassin. Sachant que, pour élever la température d'un kilogramme d'eau d'un degré Celsius, vous devez fournir $4,2 \times 10^3$ J, calculez la quantité d'énergie requise pour porter l'eau à ébullition à partir de la température de la pièce (20 °C).

A) $2,1 \times 10^5$ J   **B)** $1,7 \times 10^6$ J   **C)** $2,1 \times 10^7$ J   **D)** $1,7 \times 10^9$ J

20. Vous poursuivez la manipulation entreprise au numéro 19 en prélevant un échantillon de 500 ml de cette eau. Vous pouvez affirmer que, par rapport à l'eau du bassin,

I   l'échantillon est à la même température.
II   l'échantillon contient plus d'énergie thermique.
III   l'échantillon contient moins d'énergie thermique.
IV   l'échantillon est à une température inférieure.

A) Les affirmations I et II sont vraies
B) Les affirmations II et IV sont vraies
C) Les affirmations I et III sont vraies
D) Les affirmations II et IV sont vraies

Annexes

1. CORRIGÉ DES AUTOÉVALUATIONS

UNITÉ 1 (page 22)	UNITÉ 2 (page 44)	UNITÉ 3 (page 72)	UNITÉ 4 (page 103)	UNITÉ 5 (page 132)	UNITÉ 6 (page 162)
1. A	1. A	1. D	1. A	1. A	1. B
2. A	2. C	2. D	2. A	2. C	2. C
3. B	3. A	3. D	3. C	3. B	3. B
4. B	4. B	4. C	4. A	4. B	4. D
5. C	5. D	5. C	5. D	5. B	5. D
6. B	6. B	6. B	6. C	6. D	6. C
7. C	7. A	7. A	7. B	7. C	7. A
8. C	8. C	8. B	8. C	8. B	8. C
9. A	9. A	9. D	9. D	9. C	9. B
10. D	10. C	10. C	10. D	10. A	10. A
11. B	11. B	11. C	11. A	11. D	11. B
12. D	12. D	12. B	12. C	12. A	12. B
13. B	13. A	13. A	13. D	13. C	13. A
14. B	14. C	14. C	14. B	14. B	14. A
15. A	15. B	15. D	15. B	15. B	15. C
16. A		16. A	16. A	16. D	16. D
17. C		17. B	17. D	17. A	17. C
18. C		18. C	18. D	18. D	18. C
19. B		19. B	19. C	19. A	19. B
20. C		20. C	20. A	20. B	20. C

167

GRANDEUR	symbole	UNITÉ	symbole
Accélération	a	mètre/seconde au carré	m/s²
Aire	A	mètre carré	m²
Chaleur	ΔQ	joule	J
Chaleur massique	c	joule/kilogramme-kelvin	J/(kg • K)
Champ gravitationnel	g	newton/kilogramme	N/kg
Coefficient de frottement	μ		
Constante de rappel d'un ressort	k	newton/mètre	N/m
Densité	d		
Déplacement	Δs	mètre	m
Distance	d	mètre	m
Diamètre	d	mètre	m
Énergie			
cinétique	E_k	joule	J
potentielle	E_p	joule	J
thermique	Q	joule	J
Force	F	newton	N
Fréquence	f	hertz	Hz
Impulsion	I	newton-seconde	N • s
Longueur	l	mètre	m
Longueur d'onde	λ	mètre	m
Masse	m	kilogramme	kg
Masse volumique	ρ	kilogramme/mètre cube	kg/m³
Période	T	seconde	s
Poids	F_g	newton	N
Position	s	mètre	m
Pression	p	pascal	Pa
Puissance	P	watt	W
Quantité de mouvement	p	(kilogramme-mètre)/seconde	(kg• m)/s
Rayon	r	mètre	m
Température	T	degré Celsius	°C
Température thermodynamique	T	kelvin	K
Temps (intervalle de)	Δt	seconde	s
Travail	W	joule	J
Vitesse	v	mètre/seconde	m/s
Vitesse moyenne	$\bar{v}$	mètre/seconde	m/s
Volume	V	mètre cube	m³
		litre	L

ÉQUATIONS

Propagation d'une onde	$v = f\lambda$
Fréquence et période	$T = 1/f$
Effet Doppler	$f' = \dfrac{f}{\left(1 - \dfrac{v_m}{v_s}\right)}$
Déformation élastique	$F = kl$
Poids	$F_g = mg$
Masse volumique	$\rho = m/v$
Pression	$p = F/A$
Pression hydrostatique	$p = \rho gh$
Densité et principe d'Archimède	$d = \dfrac{m}{m - m'}$
Vitesse moyenne	$v = \Delta s/\Delta t$
Vitesse instantanée	$v = \lim_{\Delta t \to 0} \Delta s/\Delta t$
Équations du mouvement	
Mouvement rectiligne uniforme	$v = \Delta s/\Delta t$
Mouvement rectiligne avec accélération constante	$v = v_i + a\,\Delta t$
	$\Delta s = v_i \Delta t + 1/2\ a\Delta t^2$
	$\Delta s = \dfrac{(v_i + v)\,\Delta t}{2}$
	$v^2 = v_i^2 + 2\ a\,\Delta s$
Deuxième loi de Newton	$F = ma$
Gravitation universelle	$F_g = G\,\dfrac{m_1 m_2}{d^2}$
Champ gravitationnel	$g = GM/R^2$
Impulsion	$I = F\Delta t$
Quantité de mouvement	$p = mv$

Impulsion et variation de la quantité de mouvement	$F \Delta t = \Delta p$
Coefficient de frottement cinétique	$\mu_k = F_{fr} / F_N$
Avantage mécanique	F_r / F_m
Travail mécanique	$W = F \Delta s \cos \theta$
Puissance	$P = W / \Delta t$
Énergie potentielle gravitationnelle	$E_p = mgh$
Énergie potentielle élastique	$E_p = 1/2 \, kl^2$
Énergie cinétique	$E_k = 1/2 \, mv^2$
Énergie thermique dégagée ou absorbée	$\Delta Q = mc \, \Delta T$

CONSTANTES PHYSIQUES ET ÉQUIVALENTS

Constante gravitationnelle	$G = 6,67 \times 10^{-11} \text{N} \cdot \text{m}^2/\text{kg}^2$
Intensité du champ gravitationnel terrestre	$g = 9,8 \text{ N/kg}$
Pression atmosphérique normale	$101,3 \text{ kPa}$
Unité astronomique	$1 \, UA = 1,496 \times 10^8 \text{ km}$
Parsec	$1 \, pc = 3,08 \times 10^{13} \text{ km} = 2,06 \times 10^5 \, UA$
Année-lumière (non SI)	$1 \, a \cdot l = 9,46 \times 10^{12} \text{ km}$
Masse de la Terre	$5,98 \times 10^{24} \text{ kg}$
Rayon de la Terre	$6,38 \times 10^6 \text{ m}$
Masse de la Lune	$7,35 \times 10^{22} \text{ kg}$
Distance Terre-Lune	$3,8 \times 10^5 \text{ km}$
Distance Terre-Soleil	$1,496 \times 10^8 \text{ km} = 1 \, UA$
Vitesse de la lumière dans le vide	$2,99792 \times 10^8 \text{ m/s}$

	Soleil	Lune	Mercure	Vénus	Terre	Mars	Jupiter	Saturne	Uranus	Neptune	Pluton
Distance moyenne (UA)	—	—	0,3871	0,7233	1,0000	1,5237	5,2028	9,5388	19,1818	30,0580	39,44
Distance moyenne (millions de km)	—	—	59,91	108,21	149,60	227,94	778,34	1 427,01	2 869,6	4 496,7	5 900,0
Excentricité	—	0,0549	0,2056	0,0068	0,0167	0,0934	0,0485	0,0556	0,0473	0,0086	0,250
Inclinaison sur l'écliptique	—	5°09'	7°00'	3°23'	—	1°50'	1°18'	2°29'	0°46'	1°46'	17°12'
Période sidérale (jours)	—	27,322	87,969	224,701	365,256	686,980	4 332,59	10 759,20	30 684,8	60 190,5	90 465,0
Diamètre équatorial (km)	1 392 530	3 476	4 878	12 104	12 756	6 794	142 800	120 000	51 800	49 500	2 500
Diamètre polaire (km)	1 392 530	3 476	4 878	12 104	12 714	6 759	134 200	108 000	49 000	47 400	2 500
Rotation équatoriale	24,6 j	27,32 j	58,65 j	243 j	23,93 h	24,62 h	9,8 h	10,2 h	16,3 h	18,2 h	6,3 j
Masse (kg)	$1,9891 \times 10^{30}$	$7,3483 \times 10^{22}$	$3,3022 \times 10^{23}$	$4,8689 \times 10^{24}$	$5,9762 \times 10^{24}$	$6,4191 \times 10^{23}$	$1,899 \times 10^{27}$	$5,684 \times 10^{26}$	$8,6978 \times 10^{25}$	$1,028 \times 10^{26}$	$1,6 \times 10^{22}$
Densité (eau = 1)	1,41	3,34	5,43	5,24	5,52	3,94	1,32	0,70	1,27	1,77	1 - 2

	Planètes	Satellites
0°	Mercure	
178°	Vénus	
23,44°	Terre	• Lune
23,59°	Mars	. Phobos
		. Deimos
3,12°		
		. Métis
		. Adrastea
		. Amalthée
		. 1979 J2
		• Io
		• Europe
		• Ganymède
		• Callisto
		. Léda
		. Himalia
		. Lysithéa
		. Élara
		. Ananke
		. Carme
		. Pasiphaé
	Jupiter	. Sinope
26,73°		
		. 1980 S28
		. 1980 S27
		. 1980 S26
		. 1980 S1, S3
		. Mimas
		. Encelade
		. Téthys, 1980, S25, S13
		. Dioné, 1980 S6
		• Rhéa
		• Titan
		. Hypérion
		• Japet
	Saturne	. Phœbé
97,86°		
		. Miranda
		. Ariel
		. Umbriel
		• Titania
	Uranus	. Obéron
29,56°		
	Neptune	• Triton
		. Néréide
52°	Pluton	. Charon

Source: France Loisirs, Collection *Le monde des sciences, l'univers.*

5. TABLE DES FONCTIONS TRIGONOMÉTRIQUES

sin **cos** **tg**

angle $\theta°$	sinus	cosinus	tangente	angle $\theta°$	sinus	cosinus	tangente	angle $\theta°$	sinus	cosinus	tangente
0,0	0,000	1,000	0,000								
0,5	0,009	1,000	0,009	30,5	0,508	0,862	0,589	60,5	0,870	0,492	1,767
1,0	0,017	1,000	0,017	31,0	0,515	0,857	0,601	61,0	0,875	0,485	1,804
1,5	0,026	1,000	0,026	31,5	0,522	0,853	0,613	61,5	0,879	0,477	1,842
2,0	0,035	0,999	0,035	32,0	0,530	0,848	0,625	62,0	0,883	0,470	1,881
2,5	0,044	0,999	0,044	32,5	0,537	0,843	0,637	62,5	0,887	0,462	1,921
3,0	0,052	0,999	0,052	33,0	0,545	0,839	0,649	63,0	0,891	0,454	1,963
3,5	0,061	0,998	0,061	33,5	0,552	0,834	0,662	63,5	0,895	0,446	2,006
4,0	0,070	0,998	0,070	34,0	0,559	0,829	0,674	64,0	0,899	0,438	2,050
4,5	0,078	0,997	0,079	34,5	0,566	0,824	0,687	64,5	0,903	0,431	2,097
5,0	0,087	0,996	0,087	35,0	0,574	0,819	0,700	65,0	0,906	0,423	2,145
5,5	0,096	0,995	0,096	35,5	0,581	0,814	0,713	65,5	0,910	0,415	2,194
6,0	0,104	0,995	0,105	36,0	0,588	0,809	0,726	66,0	0,914	0,407	2,246
6,5	0,113	0,994	0,114	36,5	0,595	0,804	0,740	66,5	0,917	0,399	2,300
7,0	0,122	0,992	0,123	37,0	0,602	0,799	0,754	67,0	0,921	0,391	2,356
7,5	0,131	0,991	0,132	37,5	0,609	0,793	0,767	67,5	0,924	0,383	2,414
8,0	0,139	0,990	0,141	38,0	0,616	0,788	0,781	68,0	0,927	0,375	2,475
8,5	0,148	0,989	0,149	38,5	0,622	0,783	0,795	68,5	0,930	0,366	2,539
9,0	0,156	0,988	0,158	39,0	0,629	0,777	0,810	69,0	0,934	0,358	2,605
9,5	0,165	0,986	0,167	39,5	0,636	0,772	0,824	69,5	0,937	0,350	2,675
10,0	0,174	0,985	0,176	40,0	0,643	0,766	0,839	70,0	0,940	0,342	2,747
10,5	0,182	0,983	0,185	40,5	0,649	0,760	0,854	70,5	0,943	0,334	2,824
11,0	0,191	0,982	0,194	41,0	0,656	0,755	0,869	71,0	0,946	0,326	2,904
11,5	0,199	0,980	0,204	41,5	0,663	0,749	0,885	71,5	0,948	0,317	2,983
12,0	0,208	0,978	0,213	42,0	0,669	0,743	0,900	72,0	0,951	0,309	3,078
12,5	0,216	0,976	0,222	42,5	0,676	0,737	0,916	72,5	0,954	0,301	3,172
13,0	0,225	0,974	0,231	43,0	0,682	0,731	0,932	73,0	0,956	0,292	3,271
13,5	0,233	0,972	0,240	43,5	0,688	0,725	0,949	73,5	0,959	0,284	3,376
14,0	0,242	0,970	0,249	44,0	0,695	0,719	0,966	74,0	0,961	0,276	3,487
14,5	0,250	0,968	0,259	44,5	0,701	0,713	0,983	74,5	0,964	0,267	3,606
15,0	0,259	0,966	0,268	45,0	0,707	0,707	1,000	75,0	0,966	0,259	3,732
15,5	0,267	0,964	0,277	45,5	0,713	0,701	1,018	75,5	0,968	0,250	3,867
16,0	0,276	0,961	0,287	46,0	0,719	0,695	1,036	76,0	0,970	0,242	4,011
16,5	0,284	0,959	0,296	46,5	0,725	0,688	1,054	76,5	0,972	0,233	4,165
17,0	0,292	0,956	0,306	47,0	0,731	0,682	1,072	77,0	0,974	0,225	4,331
17,5	0,301	0,954	0,315	47,5	0,737	0,676	1,091	77,5	0,976	0,216	4,511
18,0	0,309	0,951	0,325	48,0	0,743	0,669	1,111	78,0	0,978	0,208	4,705
18,5	0,317	0,948	0,335	48,5	0,749	0,663	1,130	78,5	0,980	0,199	4,915
19,0	0,326	0,946	0,344	49,0	0,755	0,656	1,150	79,0	0,982	0,191	5,145
19,5	0,334	0,943	0,354	49,5	0,760	0,649	1,171	79,5	0,983	0,182	5,396
20,0	0,342	0,940	0,364	50,0	0,766	0,643	1,192	80,0	0,985	0,174	5,671
20,5	0,350	0,937	0,374	50,5	0,772	0,636	1,213	80,5	0,986	0,165	5,976
21,0	0,358	0,934	0,384	51,0	0,777	0,629	1,235	81,0	0,988	0,156	6,314
21,5	0,366	0,930	0,394	51,5	0,783	0,622	1,257	81,5	0,989	0,148	6,691
22,0	0,375	0,927	0,404	52,0	0,788	0,616	1,280	82,0	0,990	0,139	7,115
22,5	0,383	0,924	0,414	52,5	0,793	0,609	1,303	82,5	0,991	0,131	7,596
23,0	0,391	0,921	0,424	53,0	0,799	0,602	1,327	83,0	0,992	0,122	8,144
23,5	0,399	0,917	0,435	53,5	0,804	0,595	1,351	83,5	0,994	0,113	8,777
24,0	0,407	0,914	0,445	54,0	0,809	0,588	1,376	84,0	0,994	0,104	9,514
24,5	0,415	0,910	0,456	54,5	0,814	0,581	1,402	84,5	0,995	0,093	10,386
25,0	0,423	0,906	0,466	55,0	0,819	0,574	1,428	85,0	0,996	0,087	11,430
25,5	0,431	0,903	0,477	55,5	0,824	0,566	1,455	85,5	0,997	0,078	12,706
26,0	0,438	0,899	0,488	56,0	0,829	0,559	1,483	86,0	0,998	0,070	14,301
26,5	0,446	0,895	0,499	56,5	0,834	0,552	1,511	86,5	0,998	0,061	16,350
27,0	0,454	0,891	0,510	57,0	0,839	0,545	1,540	87,0	0,999	0,052	19,081
27,5	0,462	0,887	0,521	57,5	0,843	0,537	1,570	87,5	0,999	0,044	22,904
28,0	0,470	0,883	0,532	58,0	0,848	0,530	1,600	88,0	0,999	0,035	28,636
28,5	0,477	0,879	0,543	58,5	0,853	0,522	1,632	88,5	1,000	0,026	38,188
29,0	0,485	0,875	0,554	59,0	0,857	0,515	1,664	89,0	1,000	0,017	57,290
29,5	0,492	0,870	0,566	59,5	0,862	0,508	1,698	89,5	1,000	0,009	114,59
30,0	0,500	0,866	0,577	60,0	0,866	0,500	1,732	90,0	1,000	0,000	

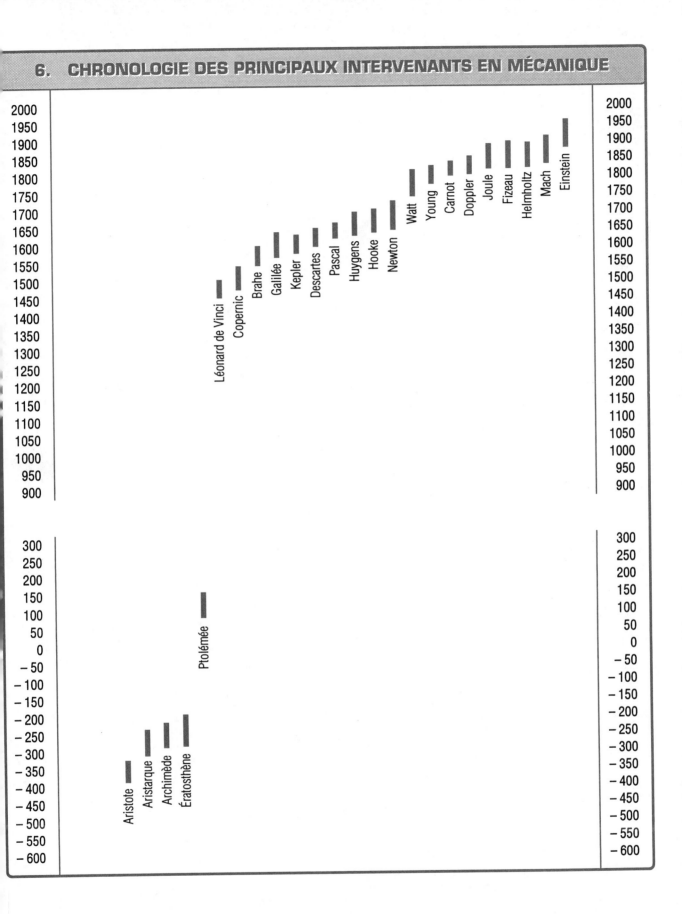